L'homme
qui aimait trop travailler

Du même auteur

Romans

Premières volontés, Grasset, 1998 ; Pocket, 2006.
Être sur terre, et ce que j'en retiens, Calmann-Lévy, 2001 ; Pocket, 2004.
La Mire, Flammarion, 2003.
Un point dans le ciel, Flammarion, 2004.
De la supériorité des femmes, Flammarion, 2008 ; J'ai lu, 2009.
Quand j'étais nietzschéen, Flammarion, 2009 ; J'ai lu, 2010.
L'orfelin, Flammarion, 2010 ; J'ai lu, 2013.
Voyage au centre de Paris, Flammarion, 2013 ; J'ai lu, 2014.

Essais

Se noyer dans l'alcool ?, PUF, « Perspectives critiques », 2001 ; nouvelle édition revue et augmentée J'ai lu, 2012.
La Grâce du criminel, PUF, « Perspectives critiques », 2005.
Le Téléviathan, Flammarion, « Café Voltaire », 2010.
Contribution à la théorie du baiser, Autrement, 2011.
Comment vivre lorsqu'on ne croit en rien ?, Flammarion, 2014.

Alexandre Lacroix

L'homme qui aimait trop travailler

roman

Flammarion

ISBN : 978-2-0813-1630-0

Et moi aussi, je me suis senti prêt à tout revivre.

ALBERT CAMUS, *L'Étranger*

Première partie

I

Mon premier geste, en me levant, n'est pas de préparer le petit déjeuner – comme j'ai toujours vu ma mère le faire autrefois – ni de filer sous la douche – comme c'était le cas de mon père –, mais de consulter mon téléphone portable et de prendre connaissance des mails arrivés durant la nuit. Peut-être était-ce au départ un réflexe professionnel, il y a longtemps que c'est devenu un rite, que j'observe même le week-end. Pourquoi me précipiter ainsi sur la page de ma messagerie, même quand je n'ai aucun dossier urgent sur le feu ? La vraie raison, l'explication profonde en est un peu mystérieuse. Je dirais : *parce que j'attends une réponse du monde*. Bien sûr, un tel espoir est de nature à être systématiquement déçu. Du trou noir de la nuit ne sort jamais aucune révélation.

J'en ai encore eu la confirmation ce matin. À sept heures moins dix, il y avait dans ma boîte un message d'un prestataire un peu fou, insomniaque, devenu une légende dans notre service à cause des horaires surréalistes de ses envois ; à part ça, une demi-douzaine de newsletters qui avaient dû être expédiées automatiquement.

J'y ai jeté un coup d'œil, puis me suis dirigé vers la cuisine. Un verre à pied, où le vin de la veille avait déposé des cercles vermeils irisés, traînait dans l'évier comme un reproche. La bouteille, vide, avait déjà rejoint le fond de la poubelle. Je bois une bouteille tous les soirs ; je la sirote dans ma solitude, cela me prend une heure ou deux et me procure un décollement assez doux, qui n'est pas vraiment de l'ivresse.

Sur moi, le vin agit comme une sorte de fard, qui permet de masquer la cause réelle de ma fatigue. En me levant, je me sens un peu vaseux, barbouillé. Mais je n'ai à m'en prendre qu'à moi-même... Pas question de m'apitoyer sur mon sort ni de geindre : il faut faire comme si de rien n'était, dissimuler le forfait, à mes yeux comme à ceux des autres, en reprenant le contrôle, en redevenant aussi vite que possible tonique, énergique, entreprenant, plein d'initiatives, que sais-je ? Dans les cynodromes d'Angleterre on utilise, pour faire galoper les lévriers, des lapins-ficelles filant à toute allure sur un rail métallique ; de même, le vin représente pour moi un de ces leurres, qui me fait interpréter ma fatigue comme un péché qu'il serait de mon devoir d'expier, et non comme l'effet du surmenage. C'est pourquoi, loin de diminuer ma puissance de travail, l'alcool l'a toujours, paradoxalement, décuplée, en m'incitant à me dépasser. Malgré cela, la vue de mon verre taché, d'une transparence spectrale, m'a fait courir dans le bas du dos comme un frisson électrique.

Mais l'heure n'était pas aux boissons fermentées. Je me suis tourné vers un bac pour attraper une capsule d'expresso en aluminium, la choisissant aussi sombre que possible – les dosettes noires et les marron étant épuisées, je me suis rabattu sur une mauve, en laissant de côté les dorées et les vertes qui me dégoûtaient vaguement (mais pourquoi continuent-ils à associer des couleurs vives à de la caféine ?). J'ai enfoncé ma capsule dans le petit percolateur électrique et me suis versé une tasse serrée. Ce café ne m'a pas semblé assez fort.

Après quoi j'ai déroulé mon tapis de gymnastique sur le plancher de mon salon. J'ai d'abord fait trente pompes sur un rythme lent. Ensuite, je me suis lancé dans mes exercices de gainage : je suis resté en équilibre sur les avant-bras et les pointes des pieds, mon corps formant un pont raide au-dessus du sol, pendant une minute trente ; puis j'ai adopté la même position, en équilibre sur le coude et le tranchant du pied droits, pendant le même laps de temps ; *idem* du côté gauche ; enfin, pieds à plat, genoux pliés, les omoplates plaquées au parquet, j'ai soulevé mon bassin aussi haut que j'en étais capable, dans une position, il faut bien l'admettre, carrément ridicule.

Mon coach, à la salle de sport, est catégorique : travailler ses abdos relève de l'hérésie. Au mieux, cela fait ressortir le ventre et bomber la graisse ; au pire, pour ceux qui, comme moi, passent une bonne partie de leur journée assis devant un écran, cela recroqueville davantage, les muscles abdominaux commandant le pliement du tronc. C'est pourquoi il vaut mieux, selon lui, abandonner ce mouvement aux culturistes chevronnés voulant développer l'ensemble de leur musculature, pour se concentrer sur le gainage, qui renforce le tour du bassin et fait disparaître, si l'on est régulier, les bourrelets disgracieux ainsi que les poignées d'amour.

Si je me suis mis au sport, c'est largement à cause de Sandra. Pas dans l'espoir de lui plaire ni de la reconquérir – toute tentative de marche arrière serait absurde –, mais parce que, durant les scènes pénibles qui ont émaillé notre séparation, elle a lâché un mot qui n'est pas tombé dans l'oreille d'un sourd : elle a avoué qu'elle me trouvait *rondouillard*. Le comble, c'est qu'elle ne l'a même pas dit pour me blesser, alors qu'à de nombreuses reprises, dans nos disputes, elle m'a couvert d'insultes. C'était plutôt affectueux de sa part, en fait. Pendant notre période de crise, il y avait des pauses de réconciliation éphémère, et c'est lors d'un de ces câlins convalescents qu'elle m'a lâché quelque chose comme

— Quand même, tu vas me manquer, mon petit rondouillard,

en me caressant les poils du ventre. Rien n'aurait pu me blesser davantage. Depuis – les ruptures ont leurs bénéfices collatéraux – je me suis repris en main. J'ai perdu sept kilos, mille grammes par mois.

Quand elle est passée chercher ses affaires, Sandra a rassemblé tout ce qui lui appartenait dans la chambre et le salon. Elle s'était munie de grands sacs de sport, qu'elle remplissait sans aucune méthode, avec une sorte d'affolement nerveux, prétextant que le taxi l'attendait en bas pour éluder la conversation. Elle était si perturbée qu'elle en a oublié la salle de bains ; peut-être le caractère intime du lieu la mettait-elle mal à l'aise ? Son oubli a transformé la pièce, à mes yeux, en une sorte de mausolée : je n'ai pas enlevé sa brosse à dents dans le gobelet, ni son peigne antistatique doré, ni son tube de rouge à lèvres, et surtout pas son épais peignoir champagne. Il faudra pourtant que je m'en débarrasse, à court ou moyen terme. Les soirs où j'ai ramené chez moi d'autres filles (rencontrées sur Internet), elles n'ont pas apprécié de découvrir, après l'amour, ces affaires de femme et m'ont ensuite toisé d'un œil soupçonneux (je m'étais inscrit sur les sites dans la catégorie *célibataire*). Oui, si je veux avoir quelque chance de retrouver quelqu'un, il faudra faire place nette. En attendant, j'aime bien me laver au milieu de ces vestiges de notre concubinage.

Pourquoi Sandra est-elle partie ? Sans doute qu'elle s'ennuyait. Elle avait trente-deux ans, exactement dix de moins que moi. Bien sûr, au début, elle s'est sentie attirée par ma prétendue maturité ; c'était la première fois qu'elle sortait avec un homme qui avait un contrat de travail à durée indéterminée et qui, le matin, enfilait un costume (sortant tous les deux jours du pressing) et se nouait une cravate autour du cou avant de partir au bureau. Cela l'apaisait, la tranquillisait. Elle y voyait une promesse de sécurité et de confort. Mais elle n'a pas tardé à réaliser que j'avais aussi très peu de temps à lui consacrer. Je pars à sept heures trente et rentre, dans le meilleur des cas, douze heures plus tard ; souvent, j'ai des déplacements sur site en province, des réunions qui s'éternisent en soirée et dois retourner au turbin le samedi. Le temps libre résiduel, je l'offrais sans restriction à Sandra, je m'efforçais de l'emmener au cinéma, au restaurant, dans les boutiques et même en boîte de nuit, bien que je déteste ça. Mais ce qu'elle voulait de moi, ce n'était pas seulement des loisirs. C'était quelque chose que je ne pouvais pas lui donner. Portée par ce sentiment mégalomaniaque et vorace, nocif à l'extrême, qu'on appelle l'amour, elle aurait voulu devenir mon *centre de gravité*. Malheureusement, elle sentait bien que ma vie était ailleurs et que, si un malin génie m'avait sommé de choisir entre mon job et elle, c'est elle que j'aurais sacrifiée sans hésitation – la situation ne s'est jamais présentée en ces termes, mais Sandra n'était pas sotte et savait à quoi s'en tenir.

J'ai regardé mon visage dans le miroir de la salle de bains. À quarante ans, on a la gueule qu'on mérite, dit le proverbe ; j'ai toujours pensé que cette règle s'appliquait davantage aux autres qu'à moi-même... Sandra, mes collègues, ou même n'importe quel passant pris au hasard dans la rue : ils ont un visage qui leur va, si j'ose dire, comme un gant – leur apparence a la force même de l'évidence, un peu comme leur démarche ou le timbre de leur voix, qui forment un tout cohérent avec leur personnalité. Mais, je ne sais pourquoi, je ne ressens pas cette adéquation, cette familiarité rassurante quand je me regarde dans la glace ; j'ai l'impression que mon visage ne me ressemble pas. M'appartiennent-ils vraiment, ces sourcils un peu tombants qui me donnent l'air d'un chien battu ? Ai-je déjà les tempes argentées ? Et ce menton minuscule, pareil à un abricot fendu que la graisse du cou cherche à gober, ne conviendrait-il pas mieux, de même que mes joues arrondies, à un homme placide et lymphatique ? J'ai la bouche charnue, en signe d'attachement aux plaisirs terrestres. Or, à la vérité, je suis le contraire de tout cela, je suis quelqu'un d'inquiet et de tendu, d'ascétique et d'énergique. Rien à faire, chaque fois que je tombe sur un miroir ou une photo de moi, j'ai le sentiment qu'il y a erreur sur la personne, qu'on m'a collé ironiquement la gueule d'un autre.

J'ai fait le calcul : j'utilise, pendant le quart d'heure que dure ma toilette, pas moins de sept produits parfumés. Par ordre d'usage, il y a d'abord mon shampoing antipelliculaire, sans doute l'odeur la moins agréable de toutes, qui rappelle le goudron et l'acidité de la feuille de vigne pourrissante ; mon savon liquide, à la framboise et à la pivoine – oui, il s'agit d'un gel douche pour femme, le flacon en est fuchsia et je ne devrais pas l'employer en principe, mais c'est celui que Sandra achetait et j'ai continué à faire de même par nostalgie – ; une fois sorti de la douche vient le tour du dentifrice, classique, à la menthe fraîche ; du déodorant à bille qui sent le talc, l'aluminium et le sel ; de l'eau de toilette, que j'ai choisie très *jeune* et qui combine subtilement diverses essences – de citron, de romarin, de basilic, de jasmin et de vétiver – ; de la crème hydratante au calendula et, enfin, du gel sec pour les cheveux, qui se dépose comme une sorte de colle argileuse et couvre les effluves peu appétissantes du shampoing (et encore, dans cet inventaire, je ne mentionne pas une des composantes principales de mon odeur, c'est-à-dire ma lessive). Le plus amusant, c'est qu'avant de faire ce décompte je n'avais pas conscience de recourir à tant d'artifices et que, si l'on me pose la question, j'estime de bonne foi être un homme qui apprécie le naturel et qui, en matière d'hygiène, s'en tient au minimum indispensable. Mais voici un symptôme éloquent : depuis que Sandra est partie, j'ai tendance à augmenter de façon drastique les doses de produits parfumés en tous genres, comme si j'avais la hantise d'être un cadavre, de sentir désormais la charogne, comme si une partie de moi était entrée en décomposition.

Ma toilette terminée, j'ai enfilé ma veste de costume, débranché mon ordinateur portable pour le ranger dans ma mallette, fourré mes deux téléphones mobiles dans mes poches et j'ai fermé derrière moi la serrure trois points – agréée par les compagnies d'assurance – de mon appartement.

II

Au bureau, j'ai commencé, comme d'habitude, par plier en deux une feuille blanche, de format A4, pour noter la liste des choses que j'avais à faire. Je sais qu'il existe des solutions plus modernes et que la plupart de mes collègues gèrent leurs *to-do lists* sur des logiciels prévus à cet effet, mais je reste attaché au support traditionnel ; seul le papier permet, une fois une tâche terminée, de la biffer, geste qui ne manque jamais de me procurer une intense satisfaction (à tel point que, si je suis amené au cours de la journée à accomplir une tâche imprévue, après que cette dernière est effectuée, je l'ajoute à ma liste dans le seul but de la rayer aussitôt). Ainsi, la fonction principale des listes n'est pas, selon moi, de secourir la mémoire : leur vrai rôle est de nous donner l'impression d'avancer, de créer une sorte d'émulation à partir de rien ; ce sont moins des plans d'attaque que des tableaux de récompenses qu'on se distribue allègrement à soi-même.

Certains ont peut-être commencé à utiliser des *to-do lists* à leur entrée dans la vie professionnelle, chez moi il s'agit d'une manie beaucoup plus ancienne, qui, dès l'époque du collège, avait déjà pris des proportions quasi pathologiques. Je jouais en permanence une sorte de contre-la-montre avec moi-même ; les quelques copains qui m'avaient vu faire me prenaient pour un dingue. Tous les soirs après les cours, je traçais un tableau à deux colonnes : à gauche, j'inscrivais la liste des devoirs demandés par les profs pour le lendemain ; à droite, l'heure à laquelle je devais avoir terminé. Par exemple, dans mes évaluations, un exercice de mathématiques pouvait avoir une valeur de quinze minutes ; la mémorisation d'un chapitre d'histoire vingt-cinq minutes ; une dissertation deux heures et demie à trois heures. Exprès, je m'accordais toujours des délais réduits au minimum. Ensuite, je bachotais sans quitter ma montre des yeux. Quitte à en attraper des suées, à avoir des tachycardies ou à aller me mettre la tête sous le robinet d'eau froide quand une certaine langueur me rattrapait, je m'évertuais à prendre de l'avance sur mes propres pronostics. Et j'adorais ça. Par exemple, si j'avais prévu de terminer les corvées scolaires à dix-neuf heures trente et que j'en étais quitte à dix-huit heures cinquante, j'estimais que j'avais gagné quarante minutes de liberté. Bien sûr, j'étais un élève zélé, discipliné, néanmoins ce qui m'importait plus que le reste, à cet âge, c'était de pouvoir faire des sorties à vélo ; c'est pourquoi, pendant ces minutes délicieuses, parfois ces heures entières que j'avais *théoriquement* gagnées sur mes obligations scolaires, je fixais mon casque de walkman sur mes oreilles, enfourchais mon vélo de course et fonçais sur les routes avoisinantes avec une sorte de fureur expiatoire.

En outre, les listes ont une très longue histoire, elles sont bien plus anciennes que les entreprises modernes ! Contrairement à ce qu'on pourrait supposer, elles ne sont pas du tout le produit de notre civilisation occidentale obsédée par la méthode et la rationalité. Elles sont tellement plus vieilles que tout cela... L'anthropologie de l'Antiquité a montré que les listes ont joué un rôle moteur dans l'essor des sociétés du Croissant fertile, entre quatre mille et deux mille ans avant Jésus-Christ. Lorsque l'écriture est apparue en Mésopotamie, elle n'a pas servi tout d'abord à la comptabilité ni au droit, contrairement à une opinion répandue. Pour commencer, les scribes n'avaient à disposition que des pictogrammes. Sans syntaxe, sans alphabet, impossible de bâtir des phrases. Aussi, ils traçaient avec leur calame, sur des tablettes d'argile, de longues énumérations. Souvent, il s'agissait très prosaïquement de faire l'inventaire des biens d'un domaine ou d'un héritage. La liste s'énonçait à peu près comme suit : vingt-six chèvres bien nourries, deux cent vingt-cinq moutons engraissés, treize agneaux sevrés, etc. Dans d'autres cas, les listes servaient à consigner les lignages des familles nobles – on en retrouve la trace dans les interminables généalogies de l'Ancien Testament. Certaines listes avaient une vocation plus pédagogique, qui contenaient des noms d'arbres et d'oiseaux ou des équivalences lexicales entre l'akkadien et le sumérien permettant d'apprendre les langues ; celles-là servaient aux maîtres d'école. D'autres listes recensaient les constellations, les éclipses, ou énuméraient les principales fêtes religieuses de l'année. De manière amusante, la grande majorité des listes que les archéologues ont recueillies, qui remontent à l'Uruk moyen, à l'époque babylonienne ou même au règne de Nabonassar, plus tardif, sont plus abstraites que concrètes, plus religieuses que pratiques. Ces hommes-là n'avaient pas une mentalité d'épicier ou de flic, ils se passionnaient au contraire pour les mystères du monde.

En ce qui me concerne, j'avoue que j'éprouve une vraie fierté, lorsque je rédige ma liste tous les matins, à me dire que je répète un des gestes les plus anciens de l'aventure humaine, celui qui a permis le basculement de la Préhistoire dans l'âge des premières civilisations – rien de moins !

Ma liste établie, j'ai commencé par répondre à quelques mails de fournisseurs impatients, en attente de traitement depuis vendredi. Soit dit en passant, l'apparition du mail, qui a coïncidé avec mon entrée dans la vie active, a été un immense soulagement pour moi, et, selon toute probabilité, je n'aurais pas fait la même carrière si nous en étions restés au téléphone, car je n'aime pas les conversations téléphoniques ; quels que soient mes efforts, je ne parviens jamais à dissimuler, au ton de ma voix (toujours plus sincère que les paroles prononcées), le déplaisir instinctif que j'éprouve au moment d'articuler *allô* ; aucune formule de politesse, aucune circonvolution n'a jamais pu habiller cette mauvaise volonté ; si bien que, dans la plupart des cas, pour commencer, mon interlocuteur s'excuse presque – je ne vous dérange pas ? vous êtes sûr ? –, et il voit juste, j'ai toujours envie d'écourter l'échange, de l'envoyer balader. Les mails ont apporté une solution miracle à ce problème de communication. Un mail est infiniment plus propre qu'une poignée de main. Un mail n'a pas d'haleine. S'il est correctement orthographié et tourné, il ne laisse pas deviner votre humeur. Mieux encore : autant le mail vous défend comme un bouclier, autant il atteint directement le système nerveux de votre destinataire. Vous lui logez vos propres mots, en un clic, au cœur de la cervelle. Je n'ai jamais lu d'études sérieuses sur la question, mais il me semble que les mails ont un impact émotionnel fantastique. Si le message est bien aiguisé, il peut vous trancher les jambes d'un seul coup.

Et puis, j'apprécie aussi les subtilités tactiques de la correspondance électronique : il m'arrive par exemple d'envoyer un ordre à une personne précise, en mettant en copie plusieurs autres destinataires, parmi lesquels ses supérieurs hiérarchiques directs. Si j'ai un reproche à formuler, je ne vise qu'un individu, mais je me débrouille pour le faire partager à deux ou trois personnes ; je prends des témoins, ce qui, d'une part, rend ma critique beaucoup plus cinglante, et, d'autre part, place ma cible dans le collimateur des autres. Rarement, mais parfois quand même, je fais aussi circuler des mails que je trouve idiots, mal orthographiés ou contenant des aberrations manifestes, à des collègues. Ces petits procédés relèvent probablement de la vilénie, mais, tant qu'on n'en abuse pas, ils permettent, sans jamais élever la voix ni émettre la moindre menace, de diviser et de régner. Propre, hygiénique, avec en même temps un indéniable potentiel affectif, le mail est vraiment le *medium* parfait pour entrer en relation avec un très grand nombre d'êtres humains sans jamais avoir l'impression d'être contaminé. J'écris une bonne soixantaine de mails par jour, sans éprouver le moindre vertige d'éparpillement. N'est-ce pas merveilleux ?

Ce matin, au bout d'une vingtaine de minutes employées à donner diverses instructions par écrit, j'ai été pris d'une soudaine, d'une irrépressible bouffée de désir : j'ai revu en pensée les seins de Sandra, qu'elle avait petits et durs, très fermes, pareils à des citrons verts, ainsi que sa peau sombre, hâlée. C'était une vision fugace qui, malgré tout, m'a dévasté. Ma main est restée un instant suspendue au-dessus du clavier, et puis j'ai agi par instinct, j'ai activé l'onglet Nouveau message de ma *mailbox*. Dans la barre destinataire, j'ai tapé simplement s, l'adresse complète de Sandra s'est affichée automatiquement. Dans la barre d'objet, j'ai inscrit – souhaitant me montrer direct et vrai – : En manque de toi. Puis j'ai tapé d'une traite :

Sandra,

Depuis que tu es partie
je me sens comme un robot envoyé en mission sur la planète Mars
J'en parcours les plaines arides
rouges ardentes poussiéreuses
dans l'espoir absurde
de détecter un signe de vie

Tu n'imagines pas quelle source
tu étais pour moi
et comme je suis avide de ton eau

Ici, sur Mars, les couchers de soleil sont magnifiques
le disque de feu paraît seulement un peu plus petit que sur Terre
mais c'est comme un secret
un détail intime
Je suis sûr que tu aimerais cela
C'est tellement poignant, ce crépuscule sans âme qui vive
cette explosion de couleurs pour l'œil mécanique d'un robot

Où que tu sois maintenant
peu importe, je t'en prie
rejoins-moi

Cette planète est un royaume
que je rêve de te montrer, d'explorer longuement avec toi
car ses dunes valent bien celles de la Terre
et nous pouvons oublier le passé
– Je t'aime

Après avoir rédigé cette missive à toute berzingue, j'ai cliqué sur Envoyer. Je ne voulais surtout pas réfléchir à cette action ni en faire un *cas de conscience*. Je venais de lancer une bouteille à la mer. De toute manière, le résultat était hors de mon contrôle. On verrait bien.

Il est vrai que j'ai quelques impressions fâcheuses à faire oublier. Une chose a contribué à détacher Sandra de moi : mon comportement vis-à-vis de la voisine. En cette occasion, je crois que je l'ai vraiment déçue, j'ai instillé en elle un doute empoisonné. J'admets mes torts et ne me cherche nullement des circonstances atténuantes, cependant cette voisine – Mademoiselle Papillaud – a toujours eu le chic pour m'irriter. La cloison entre nos appartements est mal insonorisée, or Mademoiselle Papillaud a deux manies insupportables : elle écoute les derniers tubes à la mode en poussant le son de sa radio au maximum et elle *tousse*. Attention, elle ne tousse pas comme tout le monde, parce qu'elle attrape de temps à autre un rhume ; non, elle est prise de quintes nerveuses, compulsives, qui ne s'arrêtent jamais et semblent gratter au plus profond de ses poumons secs, sur la chair à vif, comme si sa cage thoracique n'était qu'un sac de graviers. Et cela dure, dure, dure, de jour comme de nuit, en toutes saisons... C'est d'autant plus lancinant qu'elle ne quitte jamais l'appartement. En semaine, sa présence ne me dérange pas, puisque je suis au bureau. Mais le week-end, quand j'ai vraiment besoin d'être tranquille et de me reposer, elle me tape sur les nerfs.

Un beau jour, un changement intéressant est survenu dans la vie de Mademoiselle Papillaud. Un garçon est venu habiter avec elle. Au début, j'ai pensé qu'il serait mon sauveur, car à peine s'était-il installé que les quintes de toux ont cessé comme par enchantement. Mais au bout de deux ou trois mois, d'autres bruits ont commencé à résonner de l'autre côté de la cloison. Ce n'est pas qu'ils faisaient l'amour avec emportement, c'était bien plus inquiétant : il s'agissait de chocs sourds, comme s'ils renversaient des meubles ou frappaient du poing contre les murs ; ces sons mats étaient souvent suivis de pleurs aigus, pareils à des jappements de teckel. Pour commencer, je n'ai pas trop prêté attention à ce remue-ménage, mais peu à peu la nature des chocs s'est précisée.

— Mais tu te rends compte ? Il la cogne, c'est sûr, m'a dit Sandra.

J'entendais comme elle, même si j'avais du mal à y croire. J'avais croisé quelquefois le petit ami dans la cage d'escalier. Il était maigrelet, portait les cheveux longs noués en une espèce de chignon foutraque. Il avait une silhouette gracile, presque féminine, et se trimballait toujours une guitare en bandoulière. Bon, il avait aussi un piercing au sourcil et un autre à la lèvre, mais ça ne veut rien dire… Les bruits de projections de corps ou de coups portés étaient sans proportion avec ce personnage insignifiant et pacifique. Et pourtant, il fallait bien se rendre à l'évidence. Le petit guitariste la battait comme plâtre.

— Tu ne crois pas que tu devrais faire quelque chose ? a demandé Sandra. On n'appellerait pas la police ?

J'ai secoué la tête :

— Bah… moi, je ne m'en mêlerais pas. Ce n'est pas un vieil ivrogne, il n'est pas costaud du tout et ils ont à peine la vingtaine. Ils ont peut-être pris des trucs et ils font un mauvais *trip*, tu ne crois pas ?

Sandra n'a pas insisté. Le vacarme a continué, avec des hauts et des bas – non seulement cette nuit-là, mais aussi durant les semaines qui ont suivi. Jusqu'au soir où nous avons entendu, après une autre séquence exceptionnelle de violence, du boucan dans l'escalier. La voix aigrelette du guitariste s'élevait au-dessus d'un tourbillon hystérique :

— Puisque c'est comme ça, je me casse ! Je me tire. Tu ne me verras plus jamais, tu peux crever, pauvre conne !

le tout suivi d'une cavalcade jusqu'au rez-de-chaussée.

Dix minutes plus tard, alors que le silence était revenu, la sonnette de l'entrée a retenti. Nous étions en train de dîner aux chandelles, en tête à tête avec Sandra – je me souviens que je lui avais préparé des gambas flambées, c'est dire si j'étais enthousiaste à l'idée de devoir résoudre les problèmes de la voisine. J'ai ouvert la porte et me suis en effet retrouvé nez à nez avec Mademoiselle Papillaud. La mousse de ses cheveux blonds lui couvrait la tête mais ne suffisait pas à dissimuler, malgré la faible clarté de l'ampoule palière, la tuméfaction de son visage, sur toute la partie gauche. Son profil n'était plus régulier, on aurait dit qu'elle était de glaise molle et qu'on venait de la remodeler d'une main malhabile.

— Bonsoir, ai-je dit.

— Bonsoir.

Elle était encore sous le choc et s'exprimait avec difficulté, sa voix entrecoupée par des hoquets. En fait, elle voulait porter plainte contre son petit ami, Damien – qui venait de claquer la porte avec fracas. Elle redoutait qu'il revienne et qu'il se venge, n'était pas tranquille et devait prévenir la police. Tandis qu'elle parlait, qu'elle exposait sa décision toute fraîche de traîner devant un tribunal celui qui s'était révélé un véritable bourreau, Sandra s'était rapprochée pour écouter la conversation dans mon dos. Quand Mademoiselle Papillaud est arrivée au bout de son récit, j'ai pensé à la musique de supermarché et aux quintes de toux qu'elle m'avait imposées invariablement, un week-end après l'autre, et j'ai haussé les épaules en disant :

— Écoutez, par principe je préfère ne pas me mêler des affaires de mes voisins.

Sandra m'a aussitôt donné un petit coup de coude, elle allait objecter quelque chose quand j'ai repris, pour me débarrasser de la situation :

— Mais mon amie va se faire un plaisir de vous signer une attestation,

et je suis revenu à ma place à table pour terminer mon dîner tout seul. Pendant que Mademoiselle Papillaud et Sandra se tenaient toutes les deux penchées sur une feuille de papier, à griffonner la lettre, j'ai mangé une à une mes gambas, qui avaient refroidi et qui, comme je les décortiquais à mains nues, me laissaient sur les doigts un jus orangeâtre. Moi, j'avais trouvé en Damien une sorte de vengeur, pour les dimanches infernaux et le capharnaüm névrotique que Mademoiselle Papillaud m'avait imposés au fil des années. Mais quand Sandra s'est remise à table, j'ai compris que je la dégoûtais profondément. Quel genre d'homme étais-je, si je n'aidais pas une jeune femme à poursuivre en justice un amant brutal et dangereux ? Si Sandra m'avait choisi, c'est parce qu'elle me croyait capable de me comporter *en bon père de famille* – comme il est écrit dans cette gentille utopie qu'est le bail locatif – ; je venais de détruire cette illusion et de lui démontrer que je n'étais pas le moins du monde un homme *protecteur*.

J'en étais là de mes réflexions quand ma collègue Marie s'est plantée face à moi

— Salut Sommer ! a-t-elle lancé d'une voix triomphale.

Ce lundi matin, Marie était spécialement enjouée. Elle portait une robe blanche à larges rayures, un modèle rétro, et s'était enduit très uniformément les lèvres d'un rouge tonitruant. Ses boucles brunes luisaient comme si elle sortait à peine de la douche, elle avait dû leur passer une crème nourrissante, et son décolleté était plus tendu que jamais sous le poids de sa poitrine. Sans qu'on puisse la dire grosse, Marie est bien en chair, dotée d'une solide ossature et de galbes d'une belle densité.

— Vise un peu ce que j'ai trouvé pour le musée !

Le *musée*, c'est une sorte d'autel que nous avons aménagé, pas loin du distributeur de café, à l'étage, sur lequel nous avons coutume de déposer les objets les plus laids que nous pouvons glaner dans les magasins de souvenirs, durant nos vacances. Il y a là une collection hétéroclite de boules à neige, de poupées folkloriques, de bobs, de petites cuillères blason, de crayons géants, de reproductions de monuments miniatures...

Mais Marie brandissait sous mes yeux sa dernière trouvaille, une boîte à trésors sur laquelle étaient collés des coquillages.

— C'est craquant, non ?

— Magnifique. Tu l'as trouvée où ?

— J'ai passé le week-end à Honfleur.

Honfleur. La côte normande. Un village classé, si j'avais bonne mémoire ; j'y étais allé moi aussi, il y a de cela des années, sans en garder d'autre souvenir que l'image d'une rade où dinguaient dans le vent les mâts des voiliers, en cliquetant... Mais Marie avait prononcé ces derniers mots sur un ton trop pimpant pour être tout à fait naturel. Sans doute cherchait-elle à me faire passer un message, à me signifier qu'elle avait, elle, une existence captivante en dehors des horaires de travail.

C'est un vrai problème, ma relation avec Marie. Il faut reconnaître que, depuis trois ans que nous nous côtoyons dans le même service, elle ne me laisse pas indifférent. Sans être à proprement parler jolie, cette fille a du chien ; elle est vivante, effrontée, son caractère entier a quelque chose de rafraîchissant, qui tranche avec la prudence cauteleuse de mes collègues masculins. Ce n'est certainement pas le genre de femme sur laquelle un homme oserait lever la main, de peur de se ramasser une grosse beigne. Dans la grisaille de l'*open space*, Marie flamboie ; on lui pardonne ses écarts, ses sautes d'humeur, ses bordées de jurons ou ses tenues d'un mauvais goût désinhibé.

À certains regards, à quelques allusions un peu appuyées qu'elle sème ici et là dans nos échanges, il me semble – simple illusion d'optique due à l'égocentrisme ? – que je lui plais également. Toutefois, je ne dispose de rien de tangible pour confirmer cette hypothèse. Et je m'interdis de la vérifier, oui, je m'abstiens vis-à-vis de Marie de toute proposition, même voilée. Pour deux raisons. D'abord, parce que je suis, selon l'organigramme, son supérieur immédiat. Autrement dit, si elle acceptait une invitation au restaurant, puis que je lui prenne la main, puis que je l'invite à boire un dernier verre chez moi, puis que nous roulions ensemble sur le canapé, je ne saurais jamais déterminer son degré de sincérité. Serait-elle capable de se laisser faire par calcul ? Il y a un risque qu'elle cultive entre nous des liens, disons, extraprofessionnels, dans le simple but d'inverser la relation hiérarchique, d'avoir barre sur moi. En couchant avec elle, je lui conférerais un sacré avantage : elle pourrait ensuite persifler auprès des collègues, divulguer des détails intimes sur mon compte ; dans un scénario plus noir, elle aurait même toute latitude pour se plaindre auprès de la direction de mes assiduités. Et puis, soyons sérieux : comment expliquer à une femme qui vous a gratifié la veille d'une fellation parfaite que son rapport est à réécrire entièrement ? Que sa performance trimestrielle est décevante ?

A contrario, j'ai tendance à estimer que la position de Marie est nettement plus confortable. Je me dis souvent que c'est à elle de faire le premier pas, puisque cela ne peut nullement être interprété comme un abus de pouvoir et ne l'expose pas à une plainte pour harcèlement. En un mot, je compte un peu sur elle pour me faire du gringue, du rentre-dedans. C'est pourquoi ce week-end à Honfleur – dont son sourire épanoui laissait clairement entendre qu'elle ne l'avait pas passé seule – représentait peut-être un pion qu'elle avançait dans notre petite partie secrète, une manœuvre pour me faire sortir du bois. Personne n'apporte jamais une nouvelle pièce pour notre musée en plein mois de novembre ; cela ne se fait qu'à l'occasion de vacances prolongées, début janvier ou fin août. En débarquant avec ce majestueux coffret, geste gratuit mais qui avait dû lui coûter bonbon, elle cherchait peut-être à me titiller.

Je me suis contenté de lui répondre par un sourire évasif, car mon téléphone a sonné. Hors de question de me défiler : dans le cadran, j'ai reconnu le numéro de Raymond, mon propre supérieur, mon n+1.

— Attends, tu m'excuses, je prends. C'est Raymond.

Marie a tourné les talons et s'en est allée, toujours contente, toujours souriante, montrer à la cantonade sa nouvelle acquisition.

Comme à son habitude, Raymond fut très laconique :

— Dis-moi, Sommer, tu peux passer dans mon bureau à dix heures ?

J'ai regardé la petite horloge numérique en haut à droite de l'écran de mon ordinateur. Cela me laissait cinquante minutes.

— Bien sûr. Tu veux que j'apporte un doc, il y a quelque chose à préparer ?

— Non, non, il faut que je te parle. C'est tout.

Ce genre de rendez-vous improvisé n'était pas dans les habitudes de mon chef. J'ai réfléchi, mais impossible de deviner où il voulait en venir.

III

S'il y a un phénomène sur lequel tout ce que j'ai pu lire ou entendre m'a paru à côté de la plaque, c'est bien le *multitasking*.

(Au passage, je n'aime pas tellement les analyses qu'on trouve dans les médias sur le monde de l'entreprise ; tantôt elles émanent de journalistes précaires, dévorés de ressentiment, tantôt elles donnent la parole à de soi-disant experts – des sociologues ou des médecins du travail –, qui ne peuvent s'empêcher, par déformation professionnelle, de traquer le malaise, le symptôme malin. Stress, mal de dos, *risques psychosociaux*, harcèlement moral, *burn-out* : ils ne font que ressasser ces expressions à la mode, la tendance est à la déploration perpétuelle... On dit que les très jeunes enfants, quand ils sont exposés inopinément à la vue d'un coït entre adultes, n'en saisissent pas le sens et croient assister à un genre d'agression ou de bagarre – eh bien, il en va de même des reporters et des intellectuels qui s'expriment de nos jours sur le travail : ils ne voient que la lutte, les violences subies ou infligées, l'exploitation et la domination, là où il y a du plaisir et des délices qu'ils n'imaginent même pas – leur aveuglement confirme d'ailleurs cette vieille loi psychologique, valant pour l'opéra classique comme pour la Formule 1, selon laquelle on ne peut jamais comprendre ce dont on n'a pas joui. La vérité, c'est que travailler est non seulement la clé de la construction de soi mais une source de plaisir inégalable, bien plus stable, surprenante, satisfaisante au quotidien que ce que peut offrir la sexualité, par exemple. Mais revenons au *multitasking*.)

Tout a commencé avec la percée géniale de deux inventeurs, Doug Engelbart et Alan Kay : les noms de ces deux pionniers de l'informatique ne disent rien à la plupart des mortels, et pourtant on devrait leur ériger des statues dans les quartiers d'affaires du monde entier. Le premier a inventé la *souris* et le second a supervisé l'équipe légendaire qui a mis au point les *fenêtres*, permettant de traiter différentes tâches simultanément sur un écran d'ordinateur (souris, fenêtre : il est révélateur qu'ils aient eu recours à des métaphores concrètes pour faire passer ces innovations virtuelles dans le langage courant). Avec ces outils, dont les premiers essais remontent à 1968, ils ont bouleversé l'ancienne organisation du travail, brisé les chaînes et les monotonies anesthésiantes. Regardez-moi : à tout moment de la journée, j'ai au minimum quatre applications ouvertes sur le bureau de mon ordinateur et, dans chacune, je jongle avec plusieurs fichiers, passant de l'un à l'autre en cliquant. Mais il y a mieux : au beau milieu de mes activités courantes, rédaction d'un rapport, lecture d'un document interne, vérification d'une ligne de compte, je peux glisser des petites diversions privées, écrire un mail perso, réserver un billet de train ou une chambre d'hôtel, acheter un livre ou un disque en ligne, ou lire un article sur le site d'un quotidien... Avant Engelbart et Kay, le taylorisme régnait même dans la vie de bureau, dont les rythmes étaient calqués sur ceux de l'usine ; les opérations étaient menées successivement, l'une après l'autre, selon des protocoles fermés, ne permettant aucune fantaisie, ne laissant aucune échappatoire. Aujourd'hui, c'en est fini de cet abattage linéaire, idiot, les tâches s'enroulent les unes autour des autres et font boule de neige, si bien que la journée de bureau ressemble à une descente en bobsleigh, procurant de délicieuses sensations d'accélération.

Bien sûr, en entrant dans la vie active, j'ai dû me familiariser avec ces nouvelles méthodes de travail. J'avais pris le pli, à l'université, de me concentrer sur la lecture suivie, lente et patiente, d'un livre ou d'un cours ; il a fallu que je perde ces réflexes scolaires. Mais j'y ai gagné – comme les exercices académiques étaient ennuyeux par comparaison ! Ce désapprentissage fut une émancipation.

Pourtant, de l'avis général, travailler en mode multitâche serait nocif et contre-indiqué au niveau personnel, et pourrait même avoir des effets collectifs pervers, au point d'endommager les capacités cognitives de l'espèce sur le long terme. Rien que ça ! En effet, en accueillant constamment toutes sortes de sollicitations divergentes, on perdrait l'aptitude à poursuivre longtemps le même raisonnement ainsi qu'à sélectionner, parmi les informations qui nous entourent, celles qui méritent d'être traitées et celles qu'il vaut mieux négliger. De surcroît, le *multitasking* ruinerait notre faculté de mémorisation, laquelle repose sur ce que les neurologues appellent l'*attention profonde* ; en prenant l'habitude, des mois, voire des années durant, d'effectuer plusieurs opérations simultanément, on se condamnerait à rester en permanence à la surface de soi-même, à se noyer dans l'écume de pensées superficielles, on perdrait le courage de plonger vers des abysses plus essentiels.

Une seule fois, dans un magazine (j'ai oublié lequel, est-ce grave docteur ?), je suis tombé sur une histoire drôle qui dédramatisait et qui m'a fait sourire. La voici. Un professeur, fumant la pipe et portant une veste en velours – un gardien du savoir à l'ancienne –, insiste pour que ses étudiants ne fassent qu'une seule chose à la fois :

— Lorsque vous lisez le journal, lisez-le bien à fond, imprégnez-vous des articles. Et quand vous buvez votre café, humez-le, savourez-le, profitez-en. Mais ne mélangez pas les deux !

Pourtant, un jour, ses étudiants le surprennent assis à la cafétéria en train de siroter avec nonchalance un expresso en feuilletant un quotidien.

— Mais, professeur, lui disent-ils interloqués, qu'êtes-vous en train de faire ? Et vos conseils ?

Le pédagogue ne se laisse pas décontenancer :

— Ah, ne vous méprenez pas ! Je ne suis pas en contradiction avec mes principes. Tel que vous me voyez, je ne fais qu'une seule chose : je lis-mon-journal-en-buvant-mon-café.

Loin d'être une simple boutade, c'est la réponse la plus sensée qu'il pouvait faire, et je la reprends volontiers à mon compte : tant que je parviens à considérer les diverses tâches qui m'occupent comme les parties d'un tout cohérent, je ne suis pas menacé de dispersion, je sais qui je suis et où je vais, je prends même plaisir à étendre la gamme des stimulations qui s'offrent à moi.

C'est pourquoi j'établis une nette distinction, dans mon petit lexique personnel, entre deux choses qui ne doivent pas être confondues, le *multitasking forcé* et le *multitasking spontané*. Dans le premier cas, c'est-à-dire quand la démultiplication des tâches est imposée de l'extérieur, on se sent divisé ; ainsi, je déteste être dérangé par le téléphone ou par une question inattendue d'un collègue. Mais si le changement d'aiguillage est librement décidé, s'il correspond à une association d'idées, à un élan interne, alors le *multitasking* a quelque chose d'assez exaltant. À dire vrai, je ne suis pas capable de me concentrer sur des chiffres plus d'une vingtaine de minutes sans que mon attention faiblisse, la même chose vaut pour la rédaction d'un texte ; mais en entrecroisant les deux, je parviens à repousser indéfiniment l'impression de lassitude. J'aime passer d'une tâche à l'autre, non de manière rationnelle et hiérarchisée, mais capricieuse au contraire, en suivant les détours et les voltes de mon inspiration ; pourquoi un saxophoniste jazz enchaîne-t-il parfois deux notes en sautant par-dessus toute la longueur de l'échelle musicale, à l'improviste ? Et lorsqu'on fait l'amour, pourquoi décide-t-on soudain que ça commence à bien faire dans telle position et qu'il est temps de changer ? Ce sont des variations impondérables du désir qui nous mènent – et, si nous n'y obéissons pas, la débandade n'est pas loin.

Aussi, dois-je confesser la vérité honteuse : j'aime, j'adore le *multitasking*. Pour moi, il n'est nullement synonyme de superficialité, mais au contraire de profondeur, puisque chaque fois qu'on revient au problème qu'on a abandonné quelques minutes plus tôt, on est capable de l'envisager sous un nouvel angle, on a l'œil frais. C'est la multiplication des tâches qui permet d'avoir une approche dialectique, de penser toujours *out of the box*, comme disent les Américains. Voilà pourquoi je considère les ennemis du *multitasking* comme d'abominables puritains, qui voudraient nous faire retourner à un travail de bête de somme, d'esclaves diligents, et ne supportent pas la jouissive ébullition qu'autorisent les nouvelles technologies.

Mais je vais aggraver mon cas en attaquant une autre idée reçue : pour des raisons similaires, j'aime, j'adore travailler en *open space*. Eh oui, je sais ! Il est de bon ton de se lancer dans de longues jérémiades, dans de complaisantes complaintes au sujet de l'organisation décloisonnée des espaces de bureau. Adieu, la belle intimité d'antan ! L'*open space* soumettrait chacun à la surveillance de tous, ce serait une sorte de dictature inventée par les architectes d'intérieur. Pire, il créerait une source de distraction et de tension nuisant gravement à l'équilibre psychique. Voilà ce qu'on répète à l'envi – rien de plus faux, selon moi. Bon, évidemment, je n'irai pas jusqu'à prétendre que j'apprécie d'entendre tel collègue pianoter avec nervosité sur son bureau ou tel autre faire cliqueter son stylo-bille, et je reconnais que certaines conversations téléphoniques extraverties neutralisent l'étage pendant plusieurs minutes. Pourtant, j'aurais du mal à me passer de l'*open space*, auquel je me suis accoutumé comme à une drogue. Si je me retrouvais seul dans un bureau parallélépipédique, les symptômes du manque ne tarderaient pas à se manifester, j'aurais la sensation de manquer de liberté comme un hamster trottinant dans sa roue ; je serais moins en forme, aussi, car j'ai remarqué que les bureaux paysagers permettaient une circulation invisible de l'énergie : quand tout va bien, c'est-à-dire lorsque le brouhaha de l'étage est maîtrisé, régulier comme le ronronnement d'un vieux matou sympathique, il y a une sorte d'électricité palpable dans l'air, chacun est porté par la présence des autres, nous ne faisons plus qu'un seul corps, nous participons à une dynamique unique. Et c'est encore mieux que dans les sports d'équipe. Au volley ou au foot, on n'a la balle que pour de courts apogées et l'on est obligé de la repasser rapidement à un partenaire, sous peine d'être houspillé ; les vrais moments d'intensité sont rares. Travailler en *open space*, c'est pratiquer un sport collectif où il serait possible de *jouer perso* à l'infini, d'être sans cesse à l'attaque face aux cages. Qui dit mieux ?

J'ajoute que, parmi les aspects concrets de la cohabitation que permettent ces bureaux ouverts, il en est un auquel je suis attaché comme une midinette : j'apprécie d'entendre les sonneries des portables de mes collègues, surtout lorsque ces derniers se sont absentés et qu'ils ont laissé par mégarde leurs appareils sans surveillance. Je trouve de la poésie à ces appels retentissant dans le vide. Comme ils ont chacun programmé une sonnerie personnalisée, j'ai l'impression de saisir au vol une partie de leur intimité, de communier subrepticement avec leur moi authentique, qu'ils essaient de dissimuler la plupart du temps : Philippe, qui n'a jamais eu d'imagination, a opté pour un gros vrombissement de réveil métallique à l'ancienne ; Ludovic a choisi les premières notes de *Rasputin* de Boney M., manifestant ainsi sa nostalgie des années 1980 (il devait avoir trois ans à l'époque) ; plus détendu, Sébastien a élu quelques accords de Django Reinhardt à la guitare sèche ; dans le genre, la palme revient à Marie, qui nous régale à chaque coup de fil de quelques secondes d'une salsa emballante ; Vincent, qui vote écolo, a mis des cricris de cigale ; quant à mon plus proche voisin, il tient à afficher ses goûts classiques avec une version synthé de la *Toccata et fugue en ré mineur* de Jean-Sébastien Bach. Ces petits extraits musicaux réchauffent l'ambiance ; leurs entrecroisements, aussi complexes que des chants d'oiseaux en forêt, dessinent un paysage sonore en constant renouvellement. Et je crois que je suis aussi ému, quand j'entends tout à trac la sirupeuse mélopée brésilienne de Marie, que le paysan d'autrefois travaillant au champ et reconnaissant la cloche de l'église du village frappant la demie – il est rare que je ne pousse un soupir. Si, du jour au lendemain, j'étais privé de ces ponctuations pour me retrouver dans le silence d'une cellule quasi monacale, il y a fort à parier que je sombrerais dans un état cafardeux.

L'endroit le plus silencieux de la planète est le plateau de l'Antarctique. Si aucune tempête n'y souffle, le niveau sonore ne s'y élève qu'à vingt-deux décibels ; par comparaison, la respiration humaine atteint trente décibels et un métro arrivant en station quatre-vingt-dix décibels. Quand les médecins du travail sont venus inspecter nos locaux, ils ont relevé un bruit de fond d'une cinquantaine de décibels – mesure classique en entreprise. Certains prétendent que cela les rend irritables, leur donne la migraine, voire des acouphènes ; dans mon cas, il n'en est rien, je n'ai pas beaucoup d'efforts à faire, un mince ébranlement de la volonté, vraiment, pour me transposer mentalement au beau milieu de l'étendue blanche de l'Antarctique. Et je plains ceux qui se sentent incapables de ce genre de transplantation, tout en soupçonnant chez eux une dose de paresse. Ils préfèrent se laisser ballotter par les ondes comme des bouchons de liège, plutôt que se retirer dans leurs propres zones de paix intérieure. Moi, je perçois la totalité de l'atmosphère sonore du bureau, je la savoure et m'en réjouis, et néanmoins, comment dire ? Elle ne m'atteint pas. Je suis à la fois ici et au pôle, si je veux.

Sur ma carte de visite, il est écrit que je suis *supply chain manager* (notre entreprise appartenant à un groupe britannique, les titres de nos fonctions sont libellés en anglais, ça fait plus chic) ; en langue autochtone, on dit que je suis *responsable de la chaîne logistique*. Dans la pratique, mon rôle est de suivre trois marques de biscuits depuis la production jusqu'à la vente : les Petits Normands, les Fragolins et les Indulgents. Les premiers sont un grand classique, ce sont ces incontournables petits-beurre dont plus de cinquante millions de paquets s'écoulent chaque année ; les deuxièmes, hypersucrés, sont destinés au public jeune ; enfin, les Indulgents se présentent comme des assortiments de biscuits chocolatés – langues de chat, gaufrettes, cigarettes russes, meringues, etc. –, vendus dans de luxueuses boîtes en métal ou par recharges cartonnées.

Mon métier a ce grand avantage qu'il révèle le soubassement méconnu de notre monde ; il fait de vous l'un de ces conducteurs avisés capables d'ouvrir le capot de la voiture et d'en vérifier la mécanique. La plupart des gens considèrent comme un fait acquis, une évidence, de trouver les produits qu'ils aiment, le matin comme le soir, le lundi comme le samedi, en décembre comme en août, dans n'importe quel supermarché de France. Cette disponibilité permanente de la nourriture est pourtant une première dans l'Histoire de l'humanité ; nos ancêtres les chasseurs-cueilleurs n'auraient jamais pu concevoir, même dans leurs délires les plus extravagants, une telle profusion. Néanmoins, la grande majorité de nos contemporains n'y prête aucune attention ou pense que cela va de soi. Au royaume des aveugles, un seul genre d'individu garde les yeux ouverts : le responsable de la chaîne logistique sait, lui, ce que cette abondance implique en termes d'usines, de hangars de stockage, de conteneurs, de plateformes pour poids lourds, de tournées de livraison, de litres de carburant, de manutention, de salaires, d'ajustements, d'anticipation. Cette profession permet de voir le monde tel qu'il est : un enchevêtrement de réseaux, dont dépend notre satisfaction quotidienne. Quant au pékin moyen, il se contente de pousser son chariot dans les cavernes d'Ali Baba des grandes surfaces, sans s'émerveiller, sans même s'intéresser au pourquoi ni au comment de la chose.

Et notez bien que les paquets de petits-beurre ou de barquettes ne me passionnent pas en eux-mêmes. Ces produits ne m'enchantent pas ; leur texture, leur saveur n'ont rien d'exceptionnel. En réalité, ce qui occupe mon esprit, ce sont moins des *marchandises* que des *flux*. Pour chacune des trois marques dont je m'occupe, ces flux sont de multiples natures. Certains sont physiques : je gère les commandes de matières premières – farine de blé, œufs en poudre, lait écrémé, beurre pâtissier, cacao, nougatine, noix de coco, purée de fraise, sucre, sel, matière grasse végétale hydrogénée, lécithine de soja, acide citrique, sirop de glucose, sirop de fructose, levures, émulsifiants, arômes et j'en passe –, ainsi que l'approvisionnement en cartons d'emballage, plastiques et sachets divers ; je surveille aussi les quantités produites dans nos usines situées à Briec-de-l'Odet et à Fouesnant dans le Finistère, à Montauban et à Aire-sur-l'Adour dans le Tarn-et-Garonne ; ces marchandises rejoignent ensuite des hangars régionaux, d'où elles sont acheminées vers les points de vente, lesquels sont disséminés sur toute la carte de France, des grands centres-villes aux villages de montagne, par des axes autoroutiers mais aussi par les plus modestes voies cantonales, selon des itinéraires que j'établis d'un commun accord avec les transporteurs ; évidemment, il faut aussi être attentif à la valorisation des paquets sur les rayonnages, surtout en période de lancement ou d'action promotionnelle ; et puis, je supervise le retour et la destruction des invendus, abîmés et périmés. La plupart de ces flux matériels vont dans le même sens, ils descendent de l'amont vers l'aval. Là où ça se corse et devient plus subtil, c'est que je dois planifier les flux d'argent, qui remontent, quant à eux, de l'aval vers l'amont, depuis l'encaissement des clients sur les lieux de vente jusqu'au paiement des fournisseurs. Enfin, immatériels et voyageant dans les deux sens, il y a les flux d'informations ; certaines d'entre elles sont internes à l'entreprise, voire confidentielles (les performances quotidiennes de chaque référence), et d'autres, au contraire, sont publiques (comme l'imaginaire ou les valeurs attachées aux marques). Le rôle du responsable de la chaîne logistique est de faire en sorte que ces flux circulent sans heurt, à un rythme soutenu mais parfaitement naturel, que l'ensemble des marchandises fabriquées soit vendu avec le moins de stockage, d'incidents, d'imprévus possible, et que tous soient payés avec ponctualité. Finalement, je ne me vis pas comme un homme qui travaille dans la biscuiterie, ni même dans le secteur de l'agroalimentaire, mais plutôt comme un chef d'orchestre ; je dois coordonner en temps réel le jeu de centaines de participants, en leur envoyant les signaux pertinents au moment opportun, dans le but d'obtenir la simultanéité la plus absolue possible. J'en ai même acquis une sorte de sixième sens : si les flux ne sont saisissables qu'à travers des chiffres, des statistiques, des algorithmes (et je me flatte d'en avoir inventé quelques-uns, bien retors), j'ai l'impression de les *entendre*, d'avoir développé une oreille spéciale pour ça. Je n'ai pas besoin qu'on me fasse un topo ni qu'on me délivre de longues explications, je détecte intuitivement les ralentissements, les grippages, les bassins de rétention, les effusions irrationnelles, que sais-je... C'est une question de sensibilité. Pour moi, cela ne passe même pas par des considérations comptables, il s'agit plutôt de veiller à la cohérence mélodique, d'amener un ensemble de musiciens ayant chacun leur petit problème – l'un est un peu lambin, l'autre trop zélé, le troisième a un gros rhume ou des velléités syndicales – à faire cause commune, à se fondre dans l'élaboration d'une œuvre collective. Dans les manuels de *supply chain*, on enseigne qu'il faut que les flux soient tirés ou lissés, mais jamais poussés. Ainsi, c'est la demande – le pur plaisir des auditeurs – qui doit être le moteur de l'orchestre, et non l'orchestre qui doit tenter d'imposer sa puissance au public. Un tel ajustement n'est possible, précisément, que par la position extérieure du chef, qui se met idéalement à la place des auditeurs. J'ignore ce que des musiciens penseraient de ces rapprochements, toujours est-il que c'est ainsi que je me représente mon métier à la *supply chain*.

Tout ceci explique qu'en attendant mon rendez-vous avec Raymond, loin de me tourner les pouces, j'ai fait, en une petite heure, une foultitude de choses : j'ai pris connaissance des chiffres de vente nationaux et par région de mes trois produits pour les dernières vingt-quatre heures ; j'ai répondu à un mail inquiet du directeur d'un hypermarché de Saint-Étienne aux prises avec des grévistes ; j'ai validé le nouvel habillage du paquet de Fragolins – seule la présentation de la liste d'ingrédients avec leurs valeurs nutritionnelles a changé –, tout en demandant quelques recalages et en signalant moi-même trois fautes d'orthographe (ce qui est normalement en dehors de mes attributions, sauf qu'ils ont engagé des analphabètes au marketing) ; j'ai adressé mes vœux personnels de bon anniversaire au directeur de notre usine de Fouesnant ; j'ai affiné ma compréhension de l'évolution des ventes des Petits Normands sur le semestre écoulé à l'aide de quelques indicateurs statistiques ; j'ai téléphoné à notre principale société de transport pour savoir comment elle comptait répercuter l'annonce de l'augmentation du prix de l'essence de vendredi dernier ; j'ai confirmé une réunion pour valider les *story-boards* des prochains spots destinés à promouvoir les Indulgents (là, j'admets que j'ai de la chance. Dans certaines entreprises, la *supply chain* est une fonction bêtement exécutive, qui n'autorise aucune initiative. Comme celle-ci s'est créée assez récemment chez nous, après le rachat de notre entreprise par le géant britannique, et que la mise en place d'une vraie chaîne logistique professionnalisée fut concomitante avec mon embauche, j'ai pu faire en sorte d'avoir mon mot à dire non seulement sur l'intendance mais aussi sur la gestion de l'identité des marques).

J'en étais là quand, étrangement, le croassement d'un corbeau a retenti, en trois longs trilles enroués, métalliques, au-dehors. L'oiseau a remis cela, puis s'est tu. J'ai regardé par les baies vitrées, dans l'espoir de l'apercevoir perché sur la corniche de l'immeuble d'en face. Même si les corbeaux sont réputés de mauvais augure, s'ils ont l'allure boiteuse, j'ai plaisir à penser que des animaux aussi archaïques vivent encore dans nos villes. Mais je ne l'ai pas vu. J'ai tendu l'oreille. Rien. Il devait s'être envolé.

Neuf heures cinquante-huit, j'ai tout laissé en plan pour m'en aller trouver Raymond – le seul à posséder, à notre étage, un bureau fermé. Quand je suis entré dans sa tanière, je l'ai surpris qui, au lieu d'être assis à sa table, sur son fauteuil de cuir molletonné, se tenait de dos, en train de regarder par la fenêtre. Cherchait-il du regard, lui aussi, une silhouette au noir plumage ?

— Ah, c'est toi Sommer. Viens, entre…

À la boutonnière de sa veste, il portait bien sûr son ruban rouge de la Légion d'honneur. C'est un truc qui m'a toujours épaté chez lui. Certes, Raymond est notre doyen, il a soixante et un ans, mais de nos jours ce n'est pas assez pour avoir connu la guerre, à peine pour avoir porté les cheveux longs en mai 1968. Quant à notre activité, quel que soit le professionnalisme ou l'efficacité dont nous faisons preuve, dans cette filiale française d'une multinationale au chiffre d'affaires annuel de quarante-huit milliards de dollars, je ne vois vraiment pas comment elle permettrait d'accéder à une décoration républicaine. Peut-être l'a-t-il obtenue par simple copinage ? Cela ne lui ressemble guère, Raymond n'est qu'un vieil alligator, et je ne connais personne qui pourrait avoir envie de lui rendre service. Quand il est retourné s'asseoir à son bureau de merisier – nous autres avons des plans de travail en lamellé blanc –, j'ai cru remarquer que sa claudication avait encore empiré. Raymond est bas, trapu, avec un nez de boxeur ; ses nœuds de cravate ont toujours un côté brouillon, chiffonné, qui ressemblent à son nez ; et plus les années passent, plus il traîne la jambe en marchant, à cause de ses attaques de goutte.

— Voilà, je ne vais pas y aller par quatre chemins, a-t-il commencé. J'ai vu la progression de tes résultats depuis le premier de l'an.

Il a laissé un silence, pendant lequel je me suis redressé au garde à vous.

— Et c'est remarquable, vraiment remarquable. C'est pourquoi j'aimerais élargir ton périmètre et te confier deux nouvelles marques.

Il m'a adressé un sourire par lequel il tentait d'exprimer un peu d'humanité. Peine perdue – on voyait surtout qu'il avait fait refaire toutes ses dents de devant.

— Lesquelles ?

— Ben, j'ai pensé à celles qui nous donnent du fil à retordre, aux McCallander et aux Cocagne.

Il venait de me citer deux cas désespérés. Les McCallander, c'est une déclinaison de ces biscuits sablés au beurre, extrêmement épais et compacts, dont les Anglais raffolent et qu'ils trempent dans leur thé ; aveuglés par leur insularisme culturel, les dirigeants de notre groupe se sont sottement convaincus que ces sablés aussi denses que des cloisons de Placoplatre sont promis à faire un malheur en France. Depuis deux ans maintenant, ils s'efforcent de les imposer dans l'Hexagone à grand renfort de publicité – autant vouloir rejouer la guerre de Cent Ans. Quant aux Cocagne, la problématique est différente ; il s'agit aussi de sablés, mais fins et croquants, parfumés au sucre caramélisé et à la cannelle ; en fait, ils ne se vendent presque pas sous forme de paquets, leurs performances en grandes surfaces sont médiocres et ils ne peuvent être écoulés que sur le marché parallèle des brasseries et des bars, conditionnés en sachets individuels, car ils accompagnent le café à merveille. Hélas, nous ne sommes pas leaders sur ce marché très spécialisé, auquel nous ne connaissons par ailleurs pas grand-chose.

— Mais, Raymond, excuse-moi de te le dire, tu m'envoies sur le front de l'Est !

— Pas du tout, mon vieux, pas du tout. J'ai confiance en toi. Je sais que tu mesures la difficulté mais crois-moi, s'il y a un seul homme dans cette boîte capable de faire démarrer les McCallander et les Cocagne, de leur donner un coup de *boost*, c'est toi. Je te le dis en toute amitié.

Je l'ai regardé fixement. Les iris de ses yeux m'ont paru recouverts d'un voile laiteux, si bien qu'un instant je me suis demandé s'il n'avait pas un début de cataracte. Mais inutile de prendre mes rêves pour des réalités. De toute évidence, Raymond avait encore le regard perçant.

Si l'on m'avait interrogé sur la motivation profonde de Raymond, l'impulsion qui lui donnait la force, à son âge, de tenir d'une main de fer les équipes du service logistique, j'aurais dit que c'était la *volonté de durer*, le besoin pathétique de rester au pouvoir ; même proche de la retraite, Raymond voyait encore en moi un compétiteur, et non un héritier potentiel, et voilà qu'il tentait un dernier baroud pour me casser les reins. D'ailleurs, j'ai observé que le moteur de la ténacité au travail est très différent d'une personne à l'autre. Chez Marie, il est évident qu'il s'agit de la *soif de revanche sociale*, perceptible rien qu'à sa manière, par exemple, de parler fort, un ton au-dessus des convenances, ou bien d'être délibérément mal fagotée, alors qu'elle a les moyens de s'acheter du prêt-à-porter siglé. Mais la nature de ma propre source d'énergie joue, par rapport à des êtres comme Raymond ou Marie, à mon avantage : tous deux partent d'une faiblesse pour aller de l'avant, ils cherchent à compenser un handicap – l'âge pour l'un, les origines modestes pour l'autre –, quant à moi, rien de comparable ne m'inspire, puisque c'est le travail lui-même qui me plaît au plus haut point et que ma plus grande joie est de le faire aussi bien qu'il est humainement possible. Aussi, c'est en pariant sur mon perfectionnisme, en me proposant le défi d'une tâche irréalisable et en sachant que je m'y engagerais totalement, que Raymond voulait me tendre un piège. Il devait vraiment craindre, le pauvre, qu'on lui présente un de ces jours une offre de départ à la retraite anticipé.

— Quels seront mes objectifs pour ces marques ?

— Les mêmes que d'habitude. Huit pour cent minimum. Ça, d'ailleurs, tu sais très bien que c'est une directive qui vient d'en haut. Je n'y peux rien.

J'ai fermé les paupières un instant.

— Et tu vas me donner des moyens supplémentaires pour réaliser ce petit miracle ?

— Probablement. Mais pas dans les six premiers mois, autant te le dire franchement. Tu vas d'abord bosser à effectifs constants, car il faut amortir le licenciement du *petit*. Je crois d'ailleurs que Sébastien veut te voir, il a quelque chose à te dire…

Il a glissé cette dernière remarque en agitant la main comme s'il chassait une mouche. De toute façon, je savais qu'il était vain de m'opposer à lui, qu'un refus de ma part m'aurait exposé encore davantage – Raymond aurait trouvé un moyen beaucoup moins indirect de me sanctionner ; après tout, c'est de lui que dépendaient mes évaluations. D'une voix blanche, j'ai articulé

— C'est bon, tu peux compter sur moi. Comme d'habitude, je ferai de mon mieux.

Raymond a souri. J'ai pensé que les gardiens de prison qui votent à gauche devaient arborer le même genre de sourire en apportant les plateaux-repas.

Il a cru bon d'ajouter :

— Je savais bien que tu connaissais la vie. Maintenant, tu es un vrai *partner*.

Qu'entendait-il par là ?

— Ça te dit un petit kawa ?

Autre privilège de Raymond, il a dans son bureau une cafetière faisant d'authentiques expressos – tandis que nous sommes condamnés au jus de chaussette des distributeurs automatiques. Il m'a tendu un gobelet en plastique, s'en est servi un, et nous nous sommes installés côte à côte près de la fenêtre. Nous avons siroté notre café sans moufter, car nous étions trop civilisés pour nous dire franchement ce que nous pensions l'un de l'autre.

Alors Raymond, rajustant sa mèche clairsemée, a eu cette remarque qui m'a paru franchement hors sujet :

— C'est fou ce que le temps passe.

Il y eut un silence un peu gêné, après quoi il a

enfoncé le clou :

— Ce qu'il te faudrait, à toi, c'est un bon mariage.

L'espace d'un instant, j'ai cru qu'il se foutait carrément de ma gueule. Mais il avait l'air d'y croire. Raymond psychologue !

IV

Il faut se pencher par-dessus la rambarde du balcon de notre étage, le onzième, pour apercevoir, sur la gauche, la grande arche de la Défense. Elle émerge en général d'une brume grisâtre, dont on ne sait trop si elle est naturelle ou carbonique.

Sinon, la vue est bouchée ; nous sommes dominés par le siège imposant d'une compagnie d'assurances qui nous fait face, dont l'architecture est toute de transparences élégantes, en verre et métal, bleutée. Par comparaison, notre immeuble, planté dans cette espèce de fosse profonde autant qu'étroite que forme le boulevard des Bouvets à Nanterre, pareil au couloir de lancement d'une bille de flipper, est du genre minable ; les piliers ne sont pas d'un matériau lisse mais de béton granuleux, et les vitres, de l'extérieur, ont une couleur cuivrée estompée par l'usure – le tout trahissant un style, disons, légèrement antérieur à la glasnost.

L'occasion ne s'étant jamais présentée, je n'ai pas fait la connaissance de nos voisins, les employés des assurances. Une chose est sûre, ce sont des rigolos, à leur manière. Pour conjurer l'anonymat de leur ultramoderne façade, ils ont entrepris de la décorer, de l'intérieur, en collant des Post-it sur les baies vitrées (j'ai lu quelque part que les habitants des grands ensembles urbains éprouvent le besoin de pouvoir montrer du doigt, depuis la rue, l'emplacement de leur appartement, de leur minuscule chez-soi ; quand les bâtiments sont trop hauts ou les étages difficiles à distinguer les uns des autres, ils souffrent d'un complexe de disparition. Peut-être cela explique-t-il cet engouement pour les Post-it ?). Avec ces petits autocollants bariolés, ils ont assez adroitement composé des dessins. Et c'est ainsi qu'ils ont semé sur ces surfaces impersonnelles des briques Tetris, un Super Mario, un Schtroumpf, un Donald, et même un Idéfix, en mosaïques de papier. Il y a six mois, le service compta, au cinquième étage chez nous, a tenté de riposter à cette débauche de fantaisie ; puis j'ai vu passer une circulaire de la direction, qui tenait à ce que nos locaux ne soient nullement pavoisés. Pour ma part, je me réjouis que cette décoration sauvage ait été empêchée, parce que je la trouve contre-productive. Censée égayer la situation, elle l'empire, elle témoigne d'un besoin pathétique d'exister ; cela me fait penser à ces personnes qui se couvrent de tatouages alors qu'elles ont un physique banal et franchouillard, se prêtant peu aux excentricités.

Même si la vue y est limitée et que le vent y souffle constamment avec une force océanique, notre balcon est toujours surpeuplé ; c'est le seul endroit où l'on a le droit de fumer. Moi-même, après l'entrevue avec Raymond, ne me sentant pas d'humeur à regagner tout de suite mon poste, je me suis octroyé une pause cigarette. Ainsi, Raymond – avec qui j'avais toujours été plus que loyal – avait décidé de me planter un couteau dans le dos. Très bien ! Je ne le prenais pas mal, j'encaissais assez bien. En fait, c'est comme s'il m'avait délivré un blanc-seing : pour l'instant, je ne protesterais pas, mais à la première occasion, s'il vacillait ou s'il était affaibli sur un dossier, s'il y avait moyen de le placer publiquement devant ses propres responsabilités pour un mauvais choix stratégique, bref, si j'avais la moindre opportunité de croc-en-jambe, j'en profiterais sans scrupule ; de toute façon, il commençait à vieillir et à manifester de légers passages à vide, des jugements approximatifs, il ne serait pas difficile de le renverser tôt ou tard dans le fossé.

Je me suis donc allumé une petite brune sans filtre en rêvant (depuis l'anniversaire de mes quarante ans, je contrôle ma consommation de tabac. Moi qui ai tourné, des années durant, à deux paquets, je ne fume désormais pas plus de cinq cigarettes par jour – et m'y tiens. En revanche, je les choisis hyper fortes). Je n'étais pas seul sur le balcon ; Marie aussi se trouvait là, parlant si fort qu'un cercle s'était formé autour d'elle. Involontairement, j'ai tendu l'oreille. Il était question d'un plateau de fruits de mer qu'elle avait mangé samedi sur le vieux port de Honfleur et qui lui avait donné des crampes d'estomac toute la nuit.

— Les huîtres étaient énormes, je vous assure, disait-elle en gloussant, ravie, on aurait dit des mutantes. En plus, ils les avaient sorties de leurs coquilles pour les poser directement sur la glace pilée. Il fallait les ramasser à la fourchette, mais ça glissait, ça passait entre les dents comme des glaviots...

— T'es trop dégueu.

— Attendez, c'était rien à côté des moules. Elles avaient une drôle de teinte, celles-là. Elles étaient pas orange, mais vertes. J'ai failli rappeler le serveur : Dites donc, monsieur, vos moules, ça va faire déjà quelque temps que leur profil tourne sur Meetic...

À ces mots, les autres ont piaffé de rire.

C'est alors que Raymond a passé sa tête par l'embrasure de la porte-fenêtre. Comme d'habitude, son arrivée a produit l'effet d'une ouverture de Frigidaire. Il a grincé entre ses incisives,

— Alors, Marie, qu'est-ce qui vous arrive ? Pour un lundi matin, je vous trouve bien pétulante,

et il a prononcé cet adjectif en faisant claquer chaque syllabe, pé-tu-lante, sur un ton de mépris qui n'autorisait pas la moindre repartie. Puis il a disparu aussi vite qu'il était venu.

— Aïe, je crois que je viens de faire une boulette, a culpabilisé Marie.

— Bon, bah, on devrait peut-être retourner au taf, a dit une autre.

La pause était terminée, ce qui était bien sûr le premier objectif de Raymond, que ces clopinages sans fin agaçaient souverainement.

Un lieu commun, asséné dans tous les manuels de management, veut que rien ne soit si fructueux que les discussions informelles entre collègues. Je me suis souvent demandé pourquoi la conversation jouissait d'une estime si répandue dans la littérature d'entreprise – dont le pragmatisme interdit, en principe, de parier sur des valeurs floues ou des impondérables. Est-ce une manière de se mentir à soi-même, de faire croire aux équipes et aux managers que les processus auxquels ils participent ne sont pas entièrement inhumains, mais qu'ils reposent aussi sur la coopération désintéressée, sur l'inspiration du moment, sur des courts-circuits provoqués par des blagues ou des allusions non planifiées et susceptibles de déclencher la naissance d'un concept révolutionnaire ? Malheureusement, je dois à la vérité de dire que la réputation flatteuse des échanges humains est surfaite, et qu'en dépit des récits enjolivés qui courent sur les jeunes fondateurs de *start-up* ayant eu leur coup de génie en partageant un plateau-repas ou en parlant d'un match de foot, je n'ai jamais entendu la moindre idée renversante sur ce balcon, où j'ai pourtant passé des dizaines, voire des centaines d'heures cumulées.

Néanmoins, voici une réalité plus amère que les manuels de management taisent pudiquement : ces discussions relâchées sont les moments les plus propices à la manipulation. Si vous voulez convaincre en réunion une dizaine de personnes d'adhérer à un projet que vous leur présentez pour la première fois, vos chances de réussite sont minimes. Les gens détestent ce qui vient rompre leurs routines de pensée et se méfient des initiatives qu'ils ne prennent pas eux-mêmes. Si vous leur soumettez une proposition vraiment bonne, leur premier réflexe est de vous en vouloir d'y avoir pensé avant eux. Aussi faut-il, si l'on veut embarquer une équipe dans une aventure inédite, procéder auparavant à un savant travail de mitage, c'est-à-dire profiter des petits tête-à-tête autour de la machine à café ou entre deux portes pour faire circuler quelques bribes du projet, en donnant à chacun l'impression qu'il aura un rôle éminent à y jouer ; alors, au moment de présenter l'idée en réunion, l'auditoire est déjà acquis à la cause et prêt à la défendre *mordicus*.

J'étais en train d'écraser mon mégot sur la rambarde métallique marron, avant de le jeter dans la rue (la direction tolère que nous fumions sur le balcon, mais ne nous y encourage pas au point d'équiper l'endroit d'un cendrier), quand Vincent, l'homme dont le portable chante comme une cigale en chaleur dans un champ de lavande, m'a mis le grappin dessus,

— Dis donc, j'ai appris pour les McCallander et les Cocagne. C'est une super nouvelle. Je suis vachement content pour toi.

Je l'ai dévisagé en essayant de comprendre, premièrement, comment l'information s'était propagée aussi vite (Raymond avait-il assuré ses arrières en me prévenant en dernier ?), et, deuxièmement, si Vincent se foutait de ma gueule. Mais la manière dont il me regardait, droit dans les yeux, et sa paume chaude carrément posée sur mon bras démentaient toute intention ironique. D'ailleurs, il ajouta :

— Si tu as besoin de moi pour cette mission, je veux bien rejoindre ton équipe, tu sais... Je suis sûr que j'ai plein de choses à apprendre de toi.

Je me suis répété mentalement, deux ou trois fois, ces derniers mots – une telle marque de confiance me laissait bouche bée –, avant de hocher la tête en articulant :

— On verra.

À dire la vérité, je n'avais qu'à moitié envie de récupérer ce grand naïf. Mais qui sait, en temps voulu il pourrait s'avérer utile.

En retournant à mon poste, j'ai contourné la femme de ménage, une Antillaise dodue pliée sur son aspirateur, et lui ai adressé un rapide bonjour. Elle a relevé lentement la tête ; elle avait, comme d'habitude, l'air exténué, et son bonjour s'est éteint en chuintant sur la deuxième syllabe, se réduisant à un timide *bonchou*. J'ai remarqué que certains de mes collègues lui témoignent une amabilité extraordinaire, qu'ils lui manifestent davantage de sollicitude et d'empressement qu'aux autres personnes de l'étage. C'est ainsi que Raymond a tendance à se fendre d'un :

— Bonjour, chère madame, mais comment allez-vous ? Vous avez passé un bon dimanche ?

lancé d'une voix triomphale et tonitruante, de chanteur d'opérette, afin que tout le monde entende bien. Le même homme me salue à peine d'un geste de la main. Je pense qu'il s'agit là d'une tendance anthropologique fondamentale : jamais les bonnes manières ne s'affichent de façon aussi éclatante chez un être humain que lorsque la supériorité lui est acquise. Quant à la femme de ménage, je lui trouve une authentique sagesse : elle n'est pas dupe des fausses marques de politesse qu'elle reçoit, et son *bonchou*, en apparence plein de soumission ou d'une excessive discrétion, représente sa manière à elle de ne pas entrer dans le jeu, de faire de la résistance.

Tout bien considéré, le travail de notre femme de ménage est perturbant, car condamné à l'inachèvement : n'ayant pas le droit de *s'en prendre à nous*, de nous demander de circuler ou de déplacer nos affaires, elle en est réduite à passer l'aspirateur entre les gens et les meubles, ou à donner des coups de chiffon de-ci de-là, quand elle aperçoit un coin de bureau libre. Elle n'a pas les moyens matériels de livrer une véritable bataille à notre désordre et à notre crasse, qui colonisent inexorablement l'aménagement optimisé de l'*open space* ; nos allées et venues agissent comme des marées apportant leurs bois flottés et leurs rebuts sur une plage immaculée ; si l'on ouvre nos armoires en plastique, on découvre qu'elles sont bourrées de dossiers périmés, voire jaunis, de comptes rendus de réunions, d'anciennes correspondances, de vieux magazines et de tracts publicitaires que personne ne consultera plus. Nos tiroirs abritent un recel plus intime : vieilles boîtes de médicaments, trombones de couleur dont plus aucune secrétaire en activité ne pourrait dire qui en a passé commande, clés USB dont les sauvegardes n'ont pas été mises à jour, coques de téléphones portables dépareillées, câbles de raccord formant des nœuds de vipères dans la pénombre, modes d'emploi d'objets technologiques hors service, coupe-ongles, vaporisateurs d'eau minérale, pelures argentées de tablettes de chocolat, miettes de chips, cartes de visite auxquelles nul ne sait plus associer un visage… Ainsi nous personnalisons l'espace, nous nous l'approprions, mais pas de manière concertée et sans la moindre finalité esthétique ; nous laissons l'écume du temps se déposer entre nos murs. Et le mieux là-dedans, c'est que, *à moins que quelqu'un soit un jour payé pour cela*, nous pouvons être sûrs qu'aucun de nous n'entreprendra d'arraisonner ce bazar ni de mettre fin à ce chaos *soft*. Je trouve, il faut l'avouer, une certaine poésie à ce laisser-aller, il signifie que chacun d'entre nous laissera derrière lui, longtemps après son licenciement ou sa reconversion, une trace, quelques objets enfouis dans les strates profondes des meubles fonctionnels – voilà qui offre comme une petite consolation face à l'impermanence du monde.

Il était onze heures moins le quart et j'avais ma prochaine réunion à midi ; cela me laissait un peu plus d'une heure pour rassembler une documentation complète sur les ventes des Fragolins et construire quelques tableaux statistiques récapitulatifs. C'était plus qu'il n'en fallait et je pouvais m'offrir quelques digressions. Dans l'ensemble, je me sens assez différent des autres employés de la boîte. Mon tempérament ne me prédestinait pas à manier des chiffres ; je me définirais plutôt comme un *littéraire contrarié*. Parfois, je me demande quelle aurait été ma vie si j'avais osé suivre mon inclination, écouter ma vocation. Tout a vacillé au moment du choix d'orientation que j'ai dû effectuer à quinze ans, à la fin de la seconde. J'étais bon élève, je récoltais, au collège comme au lycée, tableaux d'honneur et félicitations en fin de trimestre. Un matin, on nous a distribué, en classe, une feuille à remplir où nous devions indiquer nos vœux pour l'année suivante. Sans hésiter, j'ai coché le bac littéraire et cela m'a mis du baume au cœur pour la journée. Mais le soir, juste avant le dîner, le proviseur a téléphoné à la maison. Il s'est entretenu longuement avec mon père, puis un peu plus brièvement avec ma mère. Après ces entretiens, mes parents m'ont convoqué autour de la table du salon, la mine grave,

— C'était M. Berolatti.

— Ah bon, ai-je murmuré, ne sachant pas à quoi m'attendre.

— Il dit que tu as fait un très mauvais choix, que tu es en train de sabrer tes chances futures de faire carrière. Qu'il ne peut pas laisser partir un élément comme toi vers la filière littéraire, ce serait du gâchis.

J'aurais dû m'insurger. Mes parents, en termes d'études, avaient les idées larges ; n'étant pas de la génération qui a connu le chômage de masse dès le biberon, ils considéraient que le principal n'était pas de gagner de l'argent mais de faire un métier qu'on aime. Seulement, ils étaient influençables, déférents envers les autorités, et l'avis d'un proviseur avait du poids à leurs yeux – aux miens aussi, d'ailleurs. Ce soir-là, nous étions désorientés. Le lendemain matin, je me suis rendu la queue basse dans le bureau de M. Berolatti et j'ai rectifié mes vœux sur la fiche d'inscription. Un comble, je crois que je l'ai même remercié.

Après le bac, par inertie, j'ai poursuivi dans la même direction ; je suis entré en classe prépa, ai réussi le concours d'une grande école de commerce, la mort dans l'âme. Pour ne pas sombrer dans la mélancolie, je me suis inscrit, à peine admis, à l'université pour y suivre en parallèle un cursus d'anthropologie. Je rêvais secrètement de foutre le camp à l'autre bout de la planète et de prendre part à la vie d'une tribu ; ce rêve m'a servi de planche de salut.

Je me suis beaucoup intéressé à l'ethnologie africaine, et plus spécifiquement aux anciens systèmes monétaires d'Afrique de l'Ouest. J'étais fasciné par les cauris, ces petits coquillages provenant des Maldives, ayant la forme d'un pétale enroulé, ou d'un sexe féminin, c'est selon, qui furent des siècles durant la principale monnaie utilisée dans l'hémisphère sud, de la Chine au Mali en passant par l'Indonésie ou Madagascar. Si les conquistadors espagnols n'avaient pas inoculé leur soif d'or au reste du monde, le métal doré n'aurait peut-être jamais servi de base aux échanges et ne serait pas devenu l'étalon de mesure de toute valeur ; dans un monde parallèle, une uchronie bienheureuse, les cauris auraient pu tenir ce rôle et couvrir la planète. On transportait ces coquillages par colliers ou par paniers ; ils étaient légers et présentaient l'avantage insigne d'être impossibles à falsifier ; contrairement à l'or, ils ne permettaient ni rognure ni alliage suspect. La récolte des cauris, qui se déroulait sur les plages de l'océan Indien, était plus agréable que l'exploitation des mines du Nouveau Monde, où les esclaves et les mineurs sont morts par milliers, luttant contre la malaria et l'épuisement.

Mais l'histoire méconnue des cauris me plaisait pour une autre raison : les Africains de l'Ouest s'en servaient pour faire de la magie et connaître l'avenir. De telles pratiques divinatoires sont encore répandues au Sénégal aujourd'hui ; ce sont les femmes qui s'y livrent. Elles prennent dans leur main une poignée de coquillages, les lancent puis, suivant la manière dont ils retombent, à l'endroit ou à l'envers, décodent les signes du destin. Pour ces peuples, la monnaie ne sert pas seulement aux affaires, c'est aussi un moyen d'entrer en communication avec les puissances invisibles ; ils ont donc compris, mieux que nous, à quel point l'argent est affaire de sorcellerie. Cela m'a poussé à écrire ma maîtrise d'anthropologie sur le *Rôle du coquillage* Cypraea moneta *dans l'art divinatoire sénégalais*. Hélas, je n'avais pas les moyens de m'offrir un voyage sur place et mon mémoire n'était nourri que de connaissances livresques, de seconde main. Par la suite, je n'ai pas trouvé de bourse pour financer une expédition ; la nécessité de gagner ma vie m'a bien vite rattrapé. J'ai envoyé des CV et me suis vu proposer mon premier job par un groupe de lunetterie situé à Charenton-le-Pont ; j'y suis entré comme chargé de la gestion des stocks de matières premières, à vingt-trois ans ; c'est ainsi que j'ai intégré la tribu des logisticiens – non pas sous les tropiques mais en proche banlieue, non avec la mission de les observer mais de devenir l'un des leurs.

Bizarrement, si j'ai toujours beaucoup travaillé au cours de mon existence, la notion d'*œuvre* s'est progressivement éloignée de moi. Je crois que c'est dû à la mémoire et à l'intelligence. Je les ai trop sollicitées ; j'ai transformé mon cerveau en une machine performante et ce que j'ai gagné en rigueur, je l'ai perdu en souplesse et en créativité. Comment dire ? Je ressens parfois, mais alors de façon physique, incarnée, que mes *chemins de pensée* se sont rigidifiés avec le temps, comme si mon crâne avait d'abord été rempli d'une sorte de jungle luxuriante, et qu'on l'avait défrichée au bulldozer pour y faire passer des autoroutes ; le trafic est fluide, il n'y a aucune limitation de vitesse, les accidents sont rarissimes, mais justement tout est trop prévisible. J'ai compris sur le tard que les œuvres, les plus hauts accomplissements, ne peuvent naître que de déraillements, de louvoiements, de carambolages. Si c'était à refaire, j'écouterais moins les professeurs et j'utiliserais mes années d'études pour savourer un bien immense dont la vie, par la suite, m'a privé : l'ennui. Je laisserais le monde et sa beauté m'imprégner peu à peu, dans la passivité, au lieu de combattre sans arrêt, au point de ressembler moi-même à une armure.

Malgré ces regrets, il est une chose à laquelle je me félicite d'avoir échappé : les métiers manuels. Je n'aurais rien tant détesté que de travailler de mes mains, malgré la propagande niaise, néopétainiste dirais-je, qui se répand dans notre société et qui vante les mérites de l'artisanat. Certains voient peut-être dans les cals d'une paume épaisse la manifestation d'une poésie ancestrale – pas moi, qui suis fier de mes *mains de bébé*. Ce qu'il y a d'horrible dans le travail manuel, c'est qu'il interdit la fulgurance. Un mathématicien, un anthropologue, un musicien peuvent faire une découverte géniale en une fraction de seconde, ils peuvent espérer être touchés par la grâce. Un artisan, jamais. Aussi génial soit un potier ou un menuisier, il lui faudra se montrer humble et circonspect dans ses négociations avec la glaise ou le bois, respecter des temps de préparation, de mise en forme, de lavage, de séchage. Au fond, qu'on construise une armoire ou qu'on tourne un vase, ce n'est que du bricolage amélioré ; il n'y a là-dedans aucune délivrance, aucun arrachement à la condition terrestre. Si habile soit-on, il demeure toujours un petit défaut dans ce type d'ouvrages. Un jour, un peintre qui était venu donner un coup de blanc chez moi, tandis que je lui montrais une auréole grise, a trouvé le culot de rétorquer :

— Ça, c'est la tache aveugle !

Je lui ai demandé ce qu'il entendait par là, il a répondu avec flegme

— Vous la voyez, mais elle ne vous voit pas,

puis il m'a tourné le dos ; il avait de grosses épaules bien baraquées, et je n'ai pas eu le courage d'exiger qu'il reprenne le mur. En repensant par la suite à sa petite phrase, je me suis dit qu'il avait raison. Le drame de l'artisan, c'est qu'il voit la tache aveugle. Celui qui a cuisiné le bœuf Strogonoff prend moins de plaisir que les autres convives à table ; lui seul sait que le plat est un peu trop cuit et qu'il y manque une pincée de sel. Si doué que vous soyez, la matière vous fera toujours un coup fourré.

Mais j'étais plongé depuis déjà une quarantaine de minutes dans les résultats détaillés des Fragolins, quand j'ai entendu un craquement de doigts situé à moins d'un mètre de moi, qui m'a fait relever la tête,

— Bonjour, je peux vous déranger un instant ? a dit une voix gênée, presque un murmure.

C'était Sébastien Alamano, l'homme au portable Django. Je me suis fait la réflexion qu'une croûte d'herpès venait d'apparaître au coin de sa lèvre ; d'habitude, ce sont plutôt les nanas qui somatisent comme ça. J'ai acquiescé sans enthousiasme, et il s'est assis de guingois sur la chaise libre en face de moi.

— Je venais vous voir pour parler de ce qui m'arrive.

— Allons bon.

J'ai poussé un soupir et tourné les yeux vers l'écran de mon ordinateur, pour bien montrer que j'avais autre chose à faire et l'inciter à être concis.

— Est-ce que vous vous rendez compte que c'était mon premier boulot ? Et que je vais être licencié ?

Les yeux de Sébastien, ses yeux d'agate, d'un marron très intense, bordés de longs cils, se sont remplis de larmes.

— Je vais être licencié, et je n'ai que vingt-six ans ! a-t-il répété comme s'il n'arrivait pas encore à le croire.

Il avait tort de jouer sur cette corde ; j'ai horreur de voir les jeunes s'apitoyer sur eux-mêmes. J'ai pris un ton sagement distancié :

— Écoute, Sébastien, parlons franchement, puisque tu es venu pour ça. Humainement, je trouve que tu es un mec formidable. Vraiment, je ne le dis pas pour te passer la pommade, d'ailleurs ce n'est pas mon style : tu es gentil, volontaire, et cela a été très agréable de travailler avec toi du point de vue relationnel. Tu es le genre de type qui sait installer un climat chaleureux dans une équipe, et ça n'est pas si courant.

Après avoir prononcé ces mots, je me suis souvenu que le vendredi il venait au bureau avec un djembé en bandoulière et qu'un jour j'avais aperçu, parce qu'il avait desserré sa cravate, un petit collier ethnique, en perles de bois, autour de son cou. Vraiment, il correspondait à l'archétype du *mec cool*.

— En revanche, professionnellement, excuse-moi de te le dire, tu ne fais pas le poids. Tu n'es pas assez systématique dans ta manière de procéder, pas assez rapide, tu manques de précision...

— Mais vous n'en savez rien, vous ne m'avez laissé que six mois pour me former !

— Sept mois et demi.

— Je peux progresser, je vous assure. Laissez-moi encore une chance, s'il vous plaît, a-t-il susurré en s'essuyant le coin des paupières du revers de la manche.

J'ai levé les sourcils au ciel et secoué la tête,

— Non, je suis désolé. Pour être honnête, j'ai fait une erreur de recrutement dans ton cas. Ce sont des choses qui arrivent. Ton caractère, ton fluide de sympathie naturel ont agi pendant l'entretien et je n'ai pas su porter un jugement objectif. Après une semaine, je savais déjà que tu n'étais pas l'homme de la situation. Tu n'es pas de taille. Je ne raffole pas des métaphores informatiques, pourtant je vais t'en donner une, à méditer : ce qui cloche chez toi, ce n'est pas le *software*, auquel cas tu pourrais progresser, mais le *hardware* – la machine, la bécane, la tête quoi. J'ai besoin de gens qui pigent du premier coup, à toute vitesse, ai-je dit en faisant claquer mes doigts. Tu n'es pas dans cette catégorie. Tu es lent, incapable d'envisager une problématique sous toutes les coutures, d'en faire le tour. Et crois-moi, je sais de quoi je parle, cela fait des années que je travaille dans le secteur et des jeunes dans ton genre, j'en ai *passé* des dizaines.

— Même si c'est vrai, a-t-il articulé d'une voix blanche, vous n'avez pas le droit de me dire des choses pareilles,

il a encore émis une petite phrase presque inaudible, coupée par les sanglots,

— Vous me flinguez.

Mes lèvres ont esquissé un sourire que je voulais rassérénant.

— Allons, allons, c'est comme un premier chagrin d'amour, ce qui t'arrive là. Tu crois que le monde s'arrête, mais tu t'en remettras, ne t'inquiète pas ! En plus, essaie de voir le bon côté des choses. Nous habitons un pays généreux. Qu'est-ce qui va t'arriver, maintenant ? Tu vas toucher environ mille euros net de chômage pendant dix-huit mois. Pourquoi tu n'en profiterais pas pour faire un tour à vélo ? Sans vouloir te vexer, tu as la tête d'un mec qui rêve de faire le tour du monde à vélo. Ou un grand trek de la Patagonie au Mexique ? Hein, qu'en dis-tu ? Détends-toi... Profite.

Bizarrement, à ce moment-là, j'ai fait un geste qui ne me ressemble pas : j'ai allongé le bras et tendu ma main vers la sienne, comme pour l'attraper. Mais il a eu un mouvement de recul instinctif.

— Vous, ne me touchez pas !

Il s'est relevé d'un coup sec comme s'il avait été monté sur un ressort. Maintenant, son chagrin se muait en colère.

— Tout le monde se moque de vous dans le service. Vous savez comment on vous appelle ?

— Non, ai-je répliqué, et je ne veux pas le savoir. Tant mieux si je leur donne du bon temps.

Il est resté pétrifié, ne sachant s'il devait aller plus loin dans sa tentative d'offensive.

J'ai conclu l'entretien en montrant du doigt la direction de son bureau.

Quand il est parti, il marchait tellement de traviole que j'ai redouté un instant qu'il ne se prenne une cloison. C'était un brave garçon, mais il était vraiment trop mou. J'ai alors pensé que le pire, pour lui, restait encore à venir, qu'il aurait bientôt à surmonter l'épreuve du *pot de départ* – rite auquel nous excellons, ici, à donner un caractère sordide, surtout lorsqu'il s'agit d'arroser un licenciement.

Je voyais déjà la scène : vers seize heures, Marie se souviendrait brusquement du pot et ferait une quête, elle passerait d'un bureau à l'autre avec une enveloppe kraft dans laquelle nous verserions chacun, de mauvaise grâce, entre cinq et dix euros ; certains parviendraient à échapper à la ponction en allant fumer leur clope ou en s'éclipsant *in extremis* vers les toilettes ; avec le maigre butin récolté, elle courrait au centre commercial voisin et, au moment de franchir les portes automatiques, elle se rendrait compte qu'elle ne connaît pas suffisamment Sébastien pour lui acheter quoi que ce soit qui ressemble à un cadeau personnel, aussi elle se déciderait soit pour une écharpe, soit pour quelques DVD de séries américaines ; à dix-huit heures, Raymond enverrait sa secrétaire acheter une bouteille de champagne premier prix à la supérette voisine, laquelle ne pourrait être refroidie avant ouverture ; à dix-huit heures trente, il faudrait battre le rappel plusieurs fois avant que les gens acceptent de lâcher leurs postes de travail, de s'arracher un moment à la toile d'araignée collante de leurs mails, conversations téléphoniques et fichiers en cours, et on trinquerait avec du champagne tiède en échangeant des paroles fausses, tandis que, derrière les vitres, la nuit terminerait d'installer ses campements sur la ville nouvelle ; personne n'aurait préparé de discours, ni même envie d'en faire un, Raymond et moi échangerions des petits regards nerveux à ce sujet, nous renvoyant cette corvée comme une patate chaude ; si Raymond cédait le premier, il multiplierait les fautes de français comme à son habitude, si c'était moi, j'opterais pour le ton le plus télégraphique qu'on puisse imaginer ; dans tous les cas, ce seraient des mots en gelée que nous lui servirions, et Sébastien devrait puiser au fond de lui-même l'aplomb de dire merci et de sourire avant de nous quitter pour toujours.

V

Ma réunion de midi se déroulait dans une salle spéciale, insonorisée, surnommée la *war room*. Cinq personnes devaient y participer : Marie, qui m'assistait sur le dossier Fragolins, Sébastien (à qui je ne confiais plus, depuis longtemps, que des tâches subalternes, comme taper les comptes rendus de nos discussions, ce qu'il faisait avec son manque de rigueur coutumier), un directeur marketing venant du dixième étage, Marc, ainsi que deux personnes extérieures au siège, Étienne Lavergne, chef des ventes nord-est, et un jeune, Thomas Pérez, qui représentait une grande chaîne de distribution et dont la présence, malgré son rang secondaire, importait à mes yeux, afin qu'il fasse part de mes *desiderata* à sa direction.

Je me suis souvent fait la réflexion que, lorsque des gens viennent du dehors dans notre entreprise, même s'ils obéissent *grosso modo* aux mêmes codes vestimentaires que nous – costume terne, cravate classique, chemise repassée et chaussures anglaises –, ils n'en ont pas moins l'air, comment dire… de faisselles fraîchement démoulées. Ils ne sont pas tout à fait dans leur assiette. Ils se tiennent droit, pourtant leur corps est au bord du vacillement, un voile d'effroi presque imperceptible recouvre leur visage. Ils ont la respiration courte – non seulement parce qu'il leur a fallu presser le pas sur l'esplanade en bas pour arriver à l'heure, mais également parce qu'ils ont du mal à trouver leurs marques. Ne maîtrisant pas les données fondamentales de notre biotope, ils restent aux aguets, les yeux ouverts et brillants, les narines frémissantes, attentifs à ne commettre aucun faux pas susceptible de réveiller l'ire des grands prédateurs qui sommeillent en nous.

Cependant, cette tendance s'exprimait différemment chez Étienne Lavergne et Thomas Pérez. Habitué à sillonner, comme commercial, les routes de France, à dormir dans des hôtels deux étoiles à la périphérie des agglomérations, loin de sa famille, à régaler ses clients de plantureux déjeuners et à écluser des pichets de rouge le soir venu pour conjurer la solitude, Étienne Lavergne avait la peau du ventre bien tendue ; cette vie-là ne lui avait certainement pas mis du plomb dans la tête, elle l'avait même vidé, en un sens, mais elle lui avait donné un embonpoint qui lui permettait d'en imposer. Thomas Pérez, c'était plutôt le format brindille. Comme tous les jeunes, il avait envie de se rendre utile ; il savait aussi que son zèle pouvait le pousser à quelques imprudences, à parler trop vite ou à s'enthousiasmer à mauvais escient – il risquait de se prendre les pieds dans le tapis et il en était conscient. Ces différences expliquaient que Thomas, plus maigre qu'Étienne, transpirait néanmoins beaucoup plus.

— Bienvenue à tous, merci d'être là, ai-je lancé sans attendre, tout en distribuant un document agrafé avec des tableaux de chiffres. Vous vous demandez peut-être pourquoi je vous ai sollicités pour cette séance de réflexion sur les Fragolins, alors que la référence se porte plutôt bien. Nos ventes continuent à augmenter de façon régulière. Ce n'est pas mirifique, cinq virgule huit pour cent depuis le début de l'année, mais c'est déjà satisfaisant et, dans sa gamme, Fragolins n'est pas le plus mauvais élève. Je vous ai réunis, voyez-vous, parce que le taux de variabilité du produit a augmenté, cette année, seize fois plus vite que ses ventes. Si on examine cela dans le détail – et vous avez sous les yeux l'ensemble des résultats par dates et par régions –, les performances de nos barquettes tendent à devenir de plus en plus capricieuses, non seulement dans le temps, mais aussi dans l'espace. Résultat, les ventes sont difficiles à planifier, ce qui crée du stress sur toute la chaîne. Pour employer une image, la bicyclette roule encore à bonne allure, mais le guidon commence à trembloter, si bien que le contrôle risque de nous échapper bientôt.

Je me suis tu pour jeter un regard complice à Marie et lui donner la parole. Les autres écoutaient avec des visages qui pouvaient exprimer la concentration la plus soutenue comme le désintérêt le plus total, c'était difficile à dire. En tout cas, si on voulait que la réunion soit productive, il allait falloir les secouer un peu.

— Partant de ce constat, a enchaîné Marie, nous avons vérifié les flux de production et d'approvisionnement. Or, de ce côté-là, tout est nickel. Les usines qui fabriquent les Fragolins n'ont jamais eu de retard significatif sur les commandes et nous n'avons pas non plus enregistré d'anomalie du côté des transporteurs. Pas de mouvements sociaux, pas d'incident notable au cours des six derniers mois. Ce n'est donc pas en amont des sites de vente que se situe la source de ces perturbations.

— Nous n'en sommes pas encore à tirer la sonnette d'alarme, ai-je poursuivi, mais je voudrais que nous essayions, ensemble, de comprendre ce qui ne tourne pas rond et pourquoi, le premier lundi du mois, les ménagères de Lyon se jettent sur les Fragolins alors que celles de Lille le boudent, tandis qu'on observera la tendance inverse la semaine suivante.

— Peut-être que c'est un signe que le produit arrive à maturité, a hasardé Marc, le directeur marketing.

— Oui, ai-je rétorqué, très bonne remarque. C'est en effet l'une des premières idées qui vient à l'esprit. Pourtant cette marque n'a pas quinze ans, et nous avons des biscuits beaucoup plus anciens qui progressent mieux cette année.

— C'est peut-être la concurrence de Bieber qui nous esquinte, a suggéré Étienne.

Bieber Foods, un groupe à l'origine allemand, est à la fois notre premier concurrent en Europe et notre bête noire, notre épouvantail, notre secrète hantise. Eux aussi font des barquettes, les DéliFruits (il n'y a pas une seule de nos marques qu'ils n'aient dupliquée, et vice-versa). Nous essayons constamment de récupérer des informations sur leurs résultats et leurs décisions stratégiques, que nous réussissons à obtenir grâce à l'indiscrétion des distributeurs ; par ailleurs, je sais que, chez Bieber, ils baignent dans la même paranoïa, qu'ils sont animés par une identique rivalité mimétique. À dire vrai, cette manie du comparatisme, peut-être inévitable lorsque deux géants se disputent un territoire limité, m'agace ; nous devrions, à mon sens, nous préoccuper d'abord de nous-mêmes, nous efforcer d'être aussi rationnels et efficaces que possible dans notre approche – à eux de faire aussi bien que nous, s'ils en sont capables.

— Sur le marché de la barquette, ai-je repris, nous sommes clairement leaders. Nous représentons trente-huit pour cent des parts, eux vingt-trois. Je ne dis pas que nous pouvons dormir sur nos deux oreilles, nous ne sommes jamais à l'abri d'une mauvaise surprise, mais nous n'avons pas à exagérer la menace Bieber.

— D'accord, mais tu oublies la percée des MDD, a glissé Étienne en se tournant sournoisement vers Thomas.

Les MDD – comprendre, les marques de distributeur – sont l'autre obsession de la boîte, en termes de concurrence. Depuis une quinzaine d'années, les grandes chaînes d'hypermarché ont tendance à développer leurs propres sous-marques, en s'appuyant sur des PME auxquelles elles imposent des prix cassés ; ensuite, elles ont les mains libres pour privilégier leurs propres produits sur les linéaires ; ainsi les distributeurs parviennent-ils à nous damer le pion, alourdis comme nous le sommes par nos marges gourmandes et nos budgets publicitaires pharaoniques.

Cependant, cette façon qu'avait Étienne de mettre en cause Thomas, avec son sans-gêne gouleyant, m'apparut déplacée.

— Écoutez, j'aimerais que nous cessions un instant de penser à nos challengers. Seuls les paranoïaques survivent, dit le proverbe. Bien sûr, il y a du vrai là-dedans. Cependant, encore une fois, nous sommes en position de force sur le marché de la barquette, donc nous pouvons raisonner sans nous référer aux autres.

— Je me disais que, peut-être… l'irrégularité des ventes est un effet de la crise, a suggéré avec timidité Thomas.

À ces mots, Marie, Marc et Sébastien, connaissant mes marottes par cœur, ont baissé la tête vers leurs feuilles. Bien sûr, l'une des stratégies les plus fréquentes dans ce genre de réunion consiste, pour chaque participant, à tenter de renvoyer la responsabilité des problèmes soulevés soit vers les autres services, soit vers les entreprises rivales, soit vers la conjoncture. Le plus souvent, cette quête d'un bouc émissaire est trop voyante pour être persuasive, et l'on finit par identifier les vrais coupables, pourtant, je suppose qu'il doit se trouver des cas où cette faiblesse humaine consistant à vouloir se défausser de ses propres erreurs sur autrui porte ses fruits, autrement dit où d'énormes erreurs de diagnostic sont commises par lâcheté (si accuser un tiers ou l'air du temps était inefficace, pourquoi continuerait-on de le faire ?).

Un recadrage s'imposait :

— Vous invoquez la crise, ai-je dit en élevant la voix, pour dynamiser un peu l'échange. Mais quelle crise ? Ma parole, vous regardez trop la télévision. Vous ne comprenez donc pas qu'on exerce sur nous un véritable terrorisme moral en ce moment, en agitant sans cesse sous nos yeux le chiffon rouge de la crise, comme si tous les malheurs du monde avaient enfin trouvé leur explication d'un coup de baguette magique et d'un seul ? Cessez d'écouter les médias et ouvrez les yeux, regardez autour de vous : jamais, dans l'Histoire, aucune génération d'êtres humains n'a connu un confort, une abondance comparables aux nôtres. Quand vous ouvrez le robinet, qu'est-ce qui coule ? De l'eau potable. Y en a-t-il un seul parmi vous qui a déjà souffert de la faim en hiver ou après une année de mauvaises récoltes ? Non. Avez-vous grandi dans une maison où l'on ne chauffait qu'une pièce pour économiser le bois ? Non. Avez-vous déjà été obligés de marcher pieds nus, même dans votre enfance ? Non. Votre espérance de vie est le double de celle de vos grands-parents. Vous possédez tous une voiture, une machine à laver la vaisselle, vos appartements sont remplis de fringues que vous ne mettez plus, de DVD que vous ne visionnez jamais, d'écrans plasma, de gadgets... Si vous tombez malade, vous serez soignés par des docteurs compétents. Vous n'avez même plus mal chez le dentiste, grâce aux progrès de l'anesthésie. Si c'est ça, la crise, j'en redemande, ah, ah ! j'en veux encore et j'aimerais que ça dure, croyez-moi. Mais vous ne devinez pas le but caché de ce bourrage de crâne ? Pourquoi on vous martèle que le système est au bord de l'effondrement, du collapsus ? C'est simple : on a peur que, le cul dans la soie comme vous l'êtes, vous n'ayez plus faim. Qu'une immense paresse vous gagne, que vous n'ayez plus envie de produire ni de consommer. On vous persuade que la crise est à nos portes, que vous êtes au bord de la faillite – alors que vous êtes riches comme Crésus –, dans la simple intention de vous stimuler, de vous donner du nerf, afin que vous ne vous transformiez pas en Romains de la décadence. C'est tout de même une vieille combine, une ficelle un peu grosse, aussi ne soyez pas simples d'esprit, s'il vous plaît, ne vous laissez pas mener en bateau et faites l'effort de considérer le monde tel qu'il est. La crise n'existe pas.

(Autrefois, je n'aurais pas été capable d'une telle tirade. Mais la vie professionnelle a beaucoup modifié ma manière d'utiliser le langage : mieux j'ai connu mon métier, et moins j'ai ressenti le besoin de penser avant de parler. Ce n'est pas que je sois devenu moins réfléchi ; j'ai simplement découvert que le langage pouvait avoir la même fonction que l'action. De même que l'action n'est efficace que si elle est exécutée sans délai, si elle procède d'un mouvement du corps tout entier, j'ai compris qu'on pouvait parler en se jetant pour ainsi dire au milieu du silence qui nous sépare de nos interlocuteurs, comme sur un ring.)

À la fin de mon monologue, Sébastien me regardait avec des yeux ronds comme des billes – le pauvre, il se demandait s'il devrait, ou non, reproduire tout ça dans son compte rendu.

J'ai esquissé un sourire.

— Oublions Bieber et consorts, laissons la crise tranquille, ai-je poursuivi. La source des récentes tribulations de nos Fragolins n'est pas à chercher du côté de la chaîne logistique, comme Marie vous l'a expliqué. Mon intuition personnelle est que le positionnement de la marque, depuis que nous avons modifié l'emballage, est à remettre en cause...

Tout en développant cette idée, je me suis mis, sans raison, à penser à une peuplade pour laquelle j'ai éprouvé une vraie passion jadis, les Makas du

Sud-Cameroun. Leur cas est remarquable. Jusqu'au début des années quatre-vingt, les Makas ne connaissaient pas l'argent ; ils ne pratiquaient que le troc. Quand les premières pièces et les premiers billets sont arrivés chez eux, quand ils se sont retrouvés intégrés, sans en avoir tout d'abord conscience, au marché mondial, des ethnologues se trouvaient sur place, qui ont pu étudier de près leurs réactions. Eh bien, les Makas n'ont pas suivi notre exemple, ils ne se sont pas mis à utiliser la monnaie à la manière des Occidentaux ; ils ont adapté cet instrument à leur propre vision du monde. Pour les Makas, il existe un bien sacré, exclu du commerce, et ceci pour des raisons religieuses : la terre. Il ne leur viendrait pas à l'esprit qu'on puisse vendre ou acheter des parcelles de terrain ; comment prétendrait-on s'emparer de la nature, propriété des dieux ? À l'opposé, ils ont donné un prix aux relations familiales. Désormais, pour se marier avec une femme, chez les Makas, il faut l'acheter à sa famille, et quand un homme meurt, les voisins s'emparent du corps et vont le cacher en forêt, après quoi les parents du défunt doivent racheter le cadavre à la communauté, afin de pouvoir l'enterrer. Selon moi, ce sont les Makas qui sont dans le vrai davantage que nous ; nous adorons l'argent, nous en réglons la circulation dans les moindres détails, nous dépensons des trésors d'énergie et d'ingéniosité pour en gagner toujours plus – mais notre goût effréné du gain rive notre attention à des objets sans importance, comme les Fragolins. Ce qui me plairait, ce qui m'irait à merveille, c'est un monde où les biens indispensables à la survie – le logement et la nourriture – seraient presque gratuits, mis à disposition, et où les négociations, les actes d'achat et de vente les plus subtils porteraient sur les relations humaines, entre amis, entre amants, entre parents. Si nous déployions la sagacité que nous mettons à vendre des gâteaux à la confiture à monnayer des nuits d'amour, des conversations amicales, des rencontres, des retrouvailles, des funérailles, la vie humaine prendrait un relief formidable, elle serait irriguée en permanence par les spéculations les plus alambiquées, les manœuvres les plus inventives.

— Je récapitule, ai-je asséné alors que l'horloge indiquait midi cinquante-cinq et que les estomacs commençaient à gargouiller poliment. À court terme, nous allons organiser, sur les points de vente où les performances des Fragolins sont les plus instables, des mises en avant en tête de gondole, avec des rabais promotionnels. Mais ce n'est pas une véritable solution, car nous devons maintenir le prix unitaire, qui a déjà été calculé au plus juste. Thomas, je compte sur vous pour transmettre cette information à vos supérieurs et faire en sorte que, dans vos magasins, le produit soit bien visible. Cependant, sur le moyen terme, il nous faudra travailler davantage en profondeur. Je n'ai pas à cette heure tous les éléments d'analyse en ma possession, aussi vais-je me contenter de vous livrer la piste qui me paraît la plus pertinente. La communication des Fragolins est aujourd'hui axée sur des valeurs hédonistes. La campagne de pub que nous avons faite il y a deux ans ainsi que le rhabillage des emballages ont clairement confirmé ce positionnement sur la gourmandise – nous avons insisté sur la couleur rouge de la fraise, sur le goût, sur le fait que les Fragolins procurent, comme n'importe quel produit sucré, une sorte de décharge orgasmique. Bon, j'exagère peut-être un peu, mais quand on regarde les fraises dessinées sur nos paquets, avec leurs galbes bien courbés, leur peau tendue, brillante, leur granulation imitant les points de capiton d'un canapé cuir, et les feuillages verts qui froufroutent autour, on ne peut s'empêcher de penser à des *sex toys*. Ces fraises-là sont clairement érotisées. Malheureusement, le principe de plaisir, très apprécié par les créatifs des agences de pub, qui sont tout de même des petits jouisseurs bas de plafond, passez-moi l'expression, a deux gros inconvénients. *Primo*, qui dit plaisir dit culpabilité, et aujourd'hui les femmes sont obsédées non seulement par leur ligne, mais aussi par la possible obésité de leurs enfants. *Secundo*, le plaisir a des caprices, des intermittences, c'est même inscrit dans sa définition. La solution ? Il faudrait repositionner la marque sur les goûters pour enfants, sur la jeunesse, qui génèrent des réflexes d'achat beaucoup plus solides, plus réguliers, sans perdre complètement la dimension hédoniste. Marc, je compte sur toi pour explorer cette piste et nous proposer rapidement un projet d'étude quali qui tienne la route. Si vous n'avez pas d'objection, revoyons-nous dans cinq à six semaines, dès que nous aurons ces nouveaux éléments en main, pour rédiger une recommandation à l'attention de la direction.

Ils ont acquiescé ; à cet instant précis, l'aiguille des minutes s'est posée sur treize heures. Notre réunion pouvait s'achever.

J'ai serré la main d'Étienne, puis celle de Thomas – à qui j'ai secoué l'avant-bras avec enthousiasme, pour me faire pardonner de l'avoir un peu malmené dans le feu de la conversation (en m'approchant de lui, je me suis aperçu qu'il s'était tailladé la chair granuleuse du cou en se rasant, détail qui m'a semblé, je ne sais pourquoi, attendrissant). Et j'ai pris congé d'autant plus rapidement que je sentais mon téléphone, mis sur mode vibreur, frétiller contre ma cuisse.

Une fois à l'écart, hors de vue et d'écoute, j'ai tiré l'engin de ma poche. Sur l'écran du portable s'affichait Maman. J'ai soufflé avec dépit.

— Pourquoi tu m'appelles ? Tu sais bien que ce n'est pas le moment.

— Excuse-moi mon grand, je fais vite. J'ai besoin de savoir, est-ce que tu vas bien ?

— Oui, maman, je vais bien. C'est tout ?

— Oh, je suis contente d'entendre ta voix. Je me sens mieux, je t'assure. Je me faisais du mauvais sang. C'est que… bon, tu risques de me trouver bête, voilà… j'ai fait un mauvais rêve la nuit dernière. Il était question d'une plage en plein soleil.

Et il t'était arrivé quelque chose... Je ne sais pas quoi exactement. En tout cas, je t'ai vu étendu sur la plage, immobile, comme si tu étais mal... comme si tu t'étais noyé...

— Non, maman, je t'assure que tu n'as pas à t'inquiéter. Aujourd'hui, c'est un lundi comme les autres. Je me sens bien.

— Ah ! Tu es gentil. Tu me rappelles ce soir en rentrant, promis ?

J'ai laissé échapper un grognement ; la sollicitude de maman ne me lâchait jamais. Elle était capable, alors que j'avais quarante ans passés, de me téléphoner le matin pour me dire que la température était tombée et qu'il fallait enfiler un pull. Cependant, j'avais pris depuis longtemps le parti de ne plus la rembarrer, de lui répondre sur un ton affable, même si je cherchais en général à écourter.

— Oui, maman, à ce soir. Ou peut-être à demain.

— Au revoir, mon grand, je t'embrasse.

— Moi aussi, je t'embrasse.

La plage faisait quand même tache d'huile à la surface de mon esprit. Moi aussi, j'avais fait un rêve similaire. Il était question d'un rivage de Méditerranée écrasé de soleil. Mais je ne me souvenais pas du reste. Il y a des années que j'ai perdu la mémoire onirique.

VI

— Tu viens ? a demandé Marie.

— Vous allez où, au japonais ?

Elle a acquiescé.

— Encore des sushis... Non, ce sera pour une autre fois, ai-je dit, avant de voir mes collègues s'engouffrer dans l'ascenseur.

Sans vouloir me vanter, c'est moi qui ai lancé la mode du japonais. La vie professionnelle évolue par glissements imperceptibles ; il y a deux ans, j'ai trouvé ce minuscule restaurant à deux encablures du siège et me suis mis à y déjeuner tous les jours. Le chirashi saumon y coûte dix euros cinquante. Au début, c'était janséniste, j'allais seul là-bas ; j'emmenais parfois un journal pour me distraire, mais ne l'ouvrais pas ; je mastiquais mélancoliquement en contemplant un aquarium où évoluaient des poissons dont les couleurs exotiques, bleu fluorescent ou orange tigre, évoquaient l'océan Indien, mais dont la ridicule petitesse signalait des créatures de synthèse, probablement engendrées dans des bacs éclairés au néon, quelque part en Île-de-France. L'inconvénient de ce restaurant, c'est qu'il y passe tous les midis la même musique, une sélection de morceaux qui tourne en boucle ; il s'agit de mélodies électroniques, vaguement anxiolytiques, comme on en entend dans les avions juste avant le décollage. Mais son grand avantage, outre la fraîcheur des aliments, tient à la rapidité du service ; avec un minimum de paroles échangées, sans les tutoiements et formules de fausse connivence qu'on subit dans les brasseries françaises, les serveurs – en réalité des Chinois reconvertis dans la cuisine de l'Archipel au mépris des blessures de l'Histoire – sont capables, même en plein *rush*, de vous poser sur la table un repas complet en moins de dix minutes. Quand je me levais, la chef de rang, plutôt jolie au demeurant, longiligne comme une liane, me disait toujours

— Ah, ah ! Vous très rapide. Vous vraiment pressé !

et j'acquiesçais

— Eh oui, j'ai beaucoup de travail !

alors, nous nous souriions, contents d'avoir quelque chose en commun. Elle avait une manière de me rendre la monnaie, en prenant ma main entre les siennes, qui ressemblait à une sorte d'avance – chaque fois, je m'étonnais du contact de ses paumes tièdes, très douces. Au bout de quelques mois, mes collègues se sont aperçus de la régularité de mes déjeuners japonais et se sont mis à me rejoindre, un à un, jusqu'à ce que le Matsue devienne une institution et supplante notre infecte cantine d'entreprise, installée dans des sous-sols.

Bon, mais il y a déjà quelque temps que je fais la grève du sushi, que j'ai déserté le Matsue, quitte à regretter parfois cette pause conviviale, ces moments de détente où mes collègues parlent en général de shopping ou de ce qu'ils ont vu à la télé. Désormais, entre treize et quatorze heures, je fais du sport. Je me rends soit à la piscine, soit à la salle de fitness. Par tempérament, je préfère la natation. Je nage un crawl assez fluide, en cinq temps, m'efforçant d'étirer le plus longtemps possible mon corps sous l'eau entre les inspirations ; assez vite, cet exercice me met dans un état hypnotique, j'entre en respiration diaphragmatique, il n'y a plus que le bleu flouté de l'élément liquide autour de moi et mes pensées se délient, s'échappent, soudain légères comme des bulles. Hélas, la piscine ne permet ces méditations subaquatiques qu'en période de vacances scolaires ; le reste du temps, dans ce quartier de bureaux, elle est bondée. La dernière fois que j'y suis allé, le bout de mes doigts touchait, à chaque mouvement, la plante des pieds de mon devancier ; c'était une sensation débectante et ce simple souvenir a suffi à diriger mes pas, ce midi, vers le fitness.

À dessein, je n'ai pas choisi la salle de gym la plus luxueuse du quartier, non par avarice, mais plutôt par volonté de *m'éviter*. Je m'explique : dans un club plus chic, je me serais à coup sûr retrouvé au milieu de mes clones ; de jeunes quadragénaires à la taille fine, exigeants, survoltés, dont le rassemblement dans un tel contexte évoque un régiment d'androïdes à l'entraînement. En dehors des heures de bureau, j'ai besoin, moi, de dépaysement, aussi me suis-je inscrit dans un club qui, malgré son nom pompeux, La Guilde de la forme, reste interlope : il y a de la mousse entre les carreaux des douches, qui fonctionnent mal, les sols sont couverts d'un parquet vétuste et, quand un culturiste fatigué lâche un haltère, les lattes protestent en couinant, à se demander si la fonte ne finira pas par passer à travers un étage. La fréquentation est à l'avenant. À La Guilde, je vois toujours un Noir – un videur de boîte de nuit, selon moi –, qui, l'essentiel du temps, se tient assis sur sa serviette, un téléphone portable dans la main, en train de tapoter des SMS ; des mouvements physiques, il en effectue très peu, par salves d'une dizaine, et, malgré cela, il arbore des muscles massifs, au point d'avoir une silhouette difforme, avec des fessiers et des pectoraux en roues de camion. Chaque fois que je vais à la salle, je l'y trouve, comme s'il faisait partie du mobilier ; avec lui, je n'ai jamais échangé une seule parole.

Une fois, j'ai lié conversation avec un autre membre. C'était un trentenaire doté d'un drôle de corps, incohérent ; d'une part, il avait des épaules et des biceps développés ; d'autre part, il avait du ventre, une bonne bedaine relâchée. Il s'exerçait, mais de façon trop spécialisée, obsédé qu'il devait être par le haut de son buste. Fier de ses épaules, il portait un marcel criard, vert pomme. Lorsqu'il s'est adressé à moi – j'étais en train de travailler mes dorsaux pour conjurer la malédiction du lumbago –, je me suis aperçu qu'il zozotait :

— Aujourd'hui, j'ai pas la patate. Faut dire que les *chemtrails* sont passés, je les ai vus tout à l'heure.

— Les quoi ?

— Les *chemtrails*, tu connais pas ?

J'ai fait non de la tête.

— T'as pas vu les grandes traînées dans le ciel, qui formaient trois lignes parallèles ?

En dépit de son défaut d'élocution, il s'est lancé dans une abondante explication : les états-majors, les politiques et les instituts de météorologie nous mentent ; depuis quelques années, les populations sont aspergées par des avions libérant dans le ciel des tonnes de produits chimiques – *chem* pour *chemical* et *trails* pour traces, c'est le nom du phénomène. Ces traînées se distinguent des autres panaches laissés par les avions de ligne dans l'atmosphère, parce qu'elles persistent plusieurs heures durant. Et les gouvernements gardent le plus grand secret là-dessus ; pour éviter la panique, ces épandages sont opérés par des appareils militaires maquillés en engins de transport civil.

— Un jour, m'a-t-il assuré, j'ai vu le même avion revenir quarante fois dans la zone et la saturer complètement. Cela faisait un damier au-dessus de Nanterre. Dix minutes plus tard, le ciel est devenu tout jaune. Tu ne me crois pas ? Va voir sur Internet, tape *chemtrails* sur Google, tu verras : il y a des milliers de photos disponibles et des sites où les gens racontent leurs observations. Les *chemtrails* ont été repérés en France, en Angleterre, aux États-Unis...

— Mais c'est quoi, les produits qu'ils dispersent dans le ciel, selon vous ?

— Ah, ça, c'est secret défense. Dur à savoir. Certains disent que c'est pour réguler le climat, pour qu'on ait assez d'oxygène à respirer. D'autres prétendent que ce sont des substances psychotropes, tu comprends, pour calmer les populations, pour que les gens restent bien tranquilles, chacun à sa place.

— Et vous, quelle est votre hypothèse favorite ?

Il m'a fait un sourire vraiment bizarre, de *serial killer* – si les *serial killers* pouvaient sourire.

— Moi, je suis sûr que c'est un genre de Lexomil. Tout à l'heure, par la fenêtre, j'ai vu trois grandes balafres dans le ciel, trois *chemtrails*. Et maintenant, je n'ai plus de jus, je me sens foutu. Normalement, je lève les quatre-vingts kilos sans problème. Aujourd'hui, je n'arrive même pas à cinquante. Comment t'expliques ça, toi ?

Une chose qui m'agace, chez les *loosers* en général, c'est leur absence foncière de rationalité ; après cette brève tentative de socialisation, je n'ai plus jamais parlé à personne à la salle de sport.

J'ai donc validé comme d'habitude ma carte magnétique à l'accueil, me suis changé dans les vestiaires et me suis rendu aux tapis de course – je ne suis pas un adepte des machines de musculation, ne poursuivant pas le rêve infantile d'avoir d'énormes biscoteaux. Ce qui me plaît, dans l'activité sportive, c'est d'abord de bouger l'ensemble de mon corps, alors que je passe douze heures par jour assis, ensuite d'avoir un mouvement régulier, d'entrer dans un rythme.

J'ai programmé l'inclinaison du tapis sur deux, la vitesse sur douze kilomètres-heure, et me suis mis à trottiner en enchaînant les inspirations et les expirations, en ventilation constante. À côté de moi, il y avait une petite nana bouclée portant un énorme casque audio sur les oreilles, qui donnait l'impression, à chaque foulée, de donner des coups de poing dans le vide, de vouloir se venger avec rage d'un affront qu'elle avait subi. Devant moi, un écran diffusait des vidéoclips ; les derniers tubes à la mode étaient abominables (je suis convaincu que tout le monde les déteste à La Guilde, les gérants y compris, et qu'ils ne sont diffusés que par conformisme). L'imagerie rutilante de ces clips ne faisait que brasser, jusqu'à la nausée, les signes extérieurs de richesse – on y voyait, selon des scénarios confus que je n'arrivais pas à suivre, des piscines, des grosses cylindrées, des fêtes arrosées, des hors-bords, des parties de *beach volley* où des blondes décolorées marquaient des points contre des surfeurs brésiliens. Mais pour être honnête, tout cela ne me déplaisait pas complètement ; un club de sport ne saurait être crédible sans un zeste de propagande fasciste...

Très vite, j'ai cessé de me préoccuper de ma pugnace voisine, de l'écran plasma, et ma tête s'est mise à tourner. Au bout de dix minutes, surveillant le chrono à la seconde près, je suis monté à quatorze kilomètres-heure. Tout allait bien, j'étais parfaitement oxygéné, sans une ombre de point de côté ; après deux ou trois minutes à cette nouvelle cadence, j'ai commencé à projeter partout autour de moi des gouttelettes de sueur, aspergeant littéralement le tableau de bord et les rampes de l'appareil ; quant à mon tee-shirt, il n'était plus blanc, mais gris. S'il y a quelque chose de spectaculaire dans mon métabolisme, c'est l'abondance de ma transpiration ; je suis, de loin, celui qui trempe le plus ses affaires, ici, à La Guilde. Cette particularité dégoûtait un peu Sandra : quand nous faisions l'amour longtemps, des gouttes se mettaient à tomber de la pointe de mon nez, de mon front, de mes épaules même, vers son visage et ses seins, et elle s'essuyait du plat de la main en grimaçant, comme si je la souillais – contrairement à d'autres femmes, elle n'y voyait pas une sorte d'hommage, de preuve de mon engagement total dans l'acte (cependant, je ferais mieux de chasser Sandra de mes pensées).

Pour moi, le tapis de course représente l'exercice idéal. Son avantage ? Il branche l'animal sur la machine. *Exit* la conscience, le prétendu vernis d'humanité. D'un côté, il y a le corps mis à l'épreuve, cavalant, ahanant, exsudant par tous ses pores les toxines, vin de la veille et cafés du matin ;

de l'autre, il y a le ruban de caoutchouc défilant à une vitesse stable, implacable, comme une chaîne de montage. Un tel dispositif ne laisse aucune place à la rêverie, c'est donc le contraire de la piscine ; on dirait qu'une grande bouche d'ombre s'ouvre dans votre cerveau et qu'elle aspire les pensées superflues.

La sueur s'accumulait dans mes sourcils, son sel me démangeait, ma respiration commençait à se raccourcir, mes mollets devenaient acides, mes chevilles légèrement douloureuses ; ces petites sensations négatives auraient dû me ralentir, il n'en était rien. Je maintenais la cadence obstinément. J'avais dépassé les vingt-cinq minutes, sans montrer le moindre signe de fatigue. Pour me galvaniser, je contemplais mon reflet dans la glace : j'avais l'air d'une locomotive fonçant dans le brouillard. Ces séances de training m'ont appris à me concentrer sur le point précis où se situe et se ramasse la volonté, c'est-à-dire le plexus solaire ; en effet, je dois à la salle de sport d'avoir découvert que le QG de la volonté ne se situe ni dans le cerveau ni dans le sexe, comme j'ai pu être tenté de le croire par le passé, mais bien dans cette région-là, qui n'abrite ni mots ni plaisir, qui n'est qu'un pur foyer énergétique. Dans le plexus, les impressions pénibles envoyées par les jambes ou le foie ne pénètrent pas, cette partie du corps me semble presque inaccessible à la souffrance ; de même qu'on parle, en psychopathologie, de zone érogène, il existe au milieu du thorax quelque chose comme une *zone thélogène*.

Une autre grande vertu du jogging, c'est qu'il sèche, qu'il fait fondre les graisses. Arrivé à un certain âge, on court forcément après sa jeunesse. Un temps, j'ai même été tenté, je dois l'avouer, par les implants capillaires. Car, si je suis peu marqué, si j'ai gardé le visage jeune, j'ai tendance à me dégarnir méchamment, à avoir des golfes de plus en plus profonds, un front monstrueux. Je déteste cette chevelure clairsemée, qui menace de dénuder, sur le devant de mon crâne, les taches lie-de-vin et les grains de beauté ; c'est pourquoi je me suis rendu, au printemps dernier, dans une clinique de chirurgie esthétique sise avenue François-Ier, à deux pas des Champs-Élysées. Détail curieux, ils m'ont placé dans une salle d'attente minuscule, certes, mais individuelle, d'où je ne pouvais voir aucun autre patient ni être reconnu ; manifestement, la clinique était fréquentée par des personnages publics, acteurs, présentateurs de télévision ou politiciens, à qui elle devait garantir le plus complet anonymat.

J'ai été reçu par une doctoresse, belle femme d'une cinquantaine d'années qui avait été refaite avec tact – comme si elle avait voulu se transformer en enseigne vivante de son propre établissement – ; le dessin de ses lèvres et l'arête de son nez avaient la ligne épurée et parfaite d'un design de Philippe Starck ; quant à la chair de ses cernes, elle semblait d'une matière étrange, sa transparence laiteuse rappelait la porcelaine de Limoges. Elle a scruté les différentes régions de mon cuir chevelu avec un outil spécial, sorte de minitélescope se terminant par une bague lumineuse (où va se nicher le progrès technologique, parfois), avant de résumer la situation :

— Vos golfes vont bientôt se rejoindre, vous avez ce qu'on appelle une calvitie en fer à cheval. Cependant, quoi qu'il arrive, vous garderez vos cheveux au niveau de la tonsure et derrière la tête. De plus, il vous restera sans doute encore longtemps cette petite mèche au-dessus du front, à la Tintin, qui va se retrouver de plus en plus isolée…

— Qu'est-ce que vous me conseillez ?

Elle m'a expliqué qu'il existait deux méthodes. La première, la plus moderne, mais qui n'avait pas sa faveur, consistait à procéder par microgreffes.

— Les gens aujourd'hui ont tendance à préférer cette technique, croyant qu'elle ne laisse pas de cicatrices. Ce n'est pas vrai, le prélèvement des racines laisse des petits trous dans le cuir chevelu et, si la chose est mal faite, il y a un risque de se retrouver avec l'arrière de la tête *mité* comme un vieux fauteuil de velours.

Aussi préférait-elle l'autre technique, consistant à prélever au scalpel une bandelette de chair, d'une largeur de deux centimètres, allant d'une oreille à l'autre, puis à recoudre. Elle assurait que la cicatrice – rectiligne, nette – serait indétectable, même à un œil inquisitorial,

— De cette façon, on obtient une quantité bien plus grande de bulbes.

— Et comment se passe la repousse ? ai-je demandé avec appréhension.

— Après l'opération, qui se déroule sous anesthésie locale, vous aurez des croûtes de sang car, pour réimplanter les bulbes, il faut faire des petits trous dans la peau. Cela provoque des saignements. Aussi, pendant une semaine, vous devrez prévoir des congés, éviter les pays chauds et les bains de mer.

— Et ensuite ?

— Rien, aucune précaution à prendre, personne ne remarquera que vous avez eu recours à une chirurgie. Vos cheveux repousseront d'abord très fins, presque transparents. Ils s'épaissiront lentement. Votre apparence générale va évoluer, mais de façon si progressive que même vos collègues ne le remarqueront pas.

Il y eut un silence, durant lequel j'assimilais ces informations.

— Il n'y a aucune autre séquelle ?

— Si, comme on vous prélève une bande à l'arrière… vous aurez la peau du crâne qui tirera un peu, si vous levez ou baissez rapidement la tête. Mais on s'y fait très vite. Par ailleurs, quel âge avez-vous ?

— Quarante-deux ans.

— Eh bien, je ne peux pas vous garantir un résultat définitif. Il faudra sans doute prévoir une seconde intervention d'ici une dizaine d'années.

Voyez-vous, il est inefficace de faire des implants de façon préventive, il faut d'abord attendre que les premiers cheveux tombent.

Elle était vraiment professionnelle. J'ai remarqué, sur sa main, plusieurs bagues proéminentes, en forme de nœuds marins, incrustées de diamants et de pierres précieuses.

— Et… vous pensez que c'est une bonne idée, dans mon cas ?

Là, elle a eu une réponse d'une immense froideur, qui m'a procuré une vraie décharge de satisfaction :

— Écoutez, je suis médecin. En tant que tel, je peux vous donner toutes les informations scientifiques ou cliniques dont vous avez besoin. Mais je ne peux pas vous aider à faire votre choix, ni vous dire ce qui est beau ou laid, bien ou mal. Cela ne relève pas de mes compétences.

Elle a fait claquer son stylo plume sur son sous-main en cuir enluminé à la feuille d'or. Je ressentais, sans trop savoir pourquoi, une sincère gratitude pour les paroles qu'elle venait de prononcer.

En ressortant avenue François-Ier, j'ai retrouvé la touffeur d'une chaude après-midi de juin. Et j'ai su que je ne me prêterais jamais à cette opération, dussé-je me retrouver la boule à zéro. Au fond, j'ai toujours trouvé ridicules les hommes qui se font faire des implants, que je range presque dans la même catégorie que ceux qui se teignent les cheveux ; rejoindre leurs rangs, ce serait prendre le risque de devoir porter, par la suite, ce même regard sarcastique sur moi-même – je redoutais un insupportable dédoublement. En me laissant libre de mon choix, elle venait de m'en faire prendre conscience.

Néanmoins, il me fallait trouver un moyen de ralentir mon propre vieillissement, de lutter contre ces défauts et ces relâchements dont s'affuble le corps. Par ici, le temps *enlève* – du côté de la crinière – et par là, il *ajoute* – du côté des flancs. J'ai donc décidé de riposter à ces vols et à ces dons embarrassants d'une manière ferme mais sans artifice, par l'exercice physique.

Le cadran du chronomètre indiquait maintenant vingt-huit minutes. J'ai appuyé sur la touche *slow down*, un programme de décélération par paliers étalé sur deux minutes, permettant d'éviter les vertiges consécutifs à un arrêt trop brutal ; puis je suis allé chercher des serviettes en papier et un spray de produit nettoyant pour purger le tableau de bord et les rampes du tapis de mes généreuses libations.

La puberté est loin derrière nous et, pourtant, il est inouï de constater à quel point la douche en commun représente encore, pour nous autres abonnés de La Guilde de la forme, une épreuve. Certains, assez rares, se savonnent sans enlever leur slip. D'autres, au contraire, ont développé des penchants exhibitionnistes et prolongent de longues minutes durant cette étape, en regardant furtivement, à la dérobée, les pénis de leurs voisins. Mais il est une espèce encore plus méprisable : ceux qui tentent de faire la causette sous la douche. La plupart du temps, ils ne veulent même pas vous draguer, c'est juste qu'ils souhaitent vivre plus intensément cette étape, profiter de ce moment où l'on tombe le masque – puisqu'on a abandonné l'uniforme du costard-cravate – pour avoir enfin un comportement relâché, débonnaire, amical ; oui, le simple fait d'être à poil les plonge dans un état d'innocence conviviale. Quant à moi, même nu, je préfère porter l'uniforme. Surtout nu.

Je me suis donc contenté d'un bonjour abrupt en entrant dans les vestiaires, avant d'aller me laver. Une fois sous le jet d'eau, que j'ai réglé glacé – pour bloquer, par le choc thermique, ma sudation surabondante et reblanchir mon teint, la course m'ayant rendu rouge tomate –, j'ai ressenti un léger picotement au niveau de la main gauche, sur lequel je ne me suis pas attardé.

Après le sport, je suis passé à la supérette m'acheter une pomme et une banane – comme déjeuner, je saurais m'en contenter. C'est une vraie bénédiction, je trouve, que de pouvoir encore se procurer des fruits en pleine ville. À la supérette, j'ai déboursé une somme exorbitante pour ma banane et ma pomme, plus de trois euros, mais cela m'a semblé bon marché : je ne manque jamais d'être impressionné à l'idée que ces fruits *ont réellement poussé sur un arbre*, et peut-être dans un beau paysage, sur les coteaux du Vaucluse, de l'Andalousie ou du Maroc, et, pour un tel miracle – la vulnérabilité pulpeuse et croquante d'une chair épanouie au soleil –, je serais prêt à débourser une petite fortune.

Pourtant, un détail venait contrarier un peu ma satisfaction : la pomme que j'avais achetée, comme toutes celles qui étaient proposées à la vente dans la même cagette, était d'une forme si sphérique qu'elle en devenait fantastique ; quant à la banane, son arc de cercle était plus régulier que si on l'avait tracé au compas. La peau de la première – une *pink lady* – était d'un beau rose d'aquarelle, voilé çà et là de jaune, brillante comme une chaussure à peine cirée ; la banane n'avait qu'un léger piquetis noir sur son écorce fluo, comme stabilotée. Autrement dit, ces fruits avaient été étalonnés. Mais je me consolais en pensant que les êtres humains font l'objet du même genre d'étalonnage ; dans le quartier où je travaille, il est rare que j'en croise des vieux ou des difformes ou des eczémateux, sans parler des bubons et de la lèpre que je ne connais que par les livres d'Histoire. Ainsi, mes fruits étaient anthropomorphiques et, si ça se trouvait, ils avaient fait l'objet d'un processus de sélection moins strict que moi. Cela créait une sorte de communauté entre nous : la pomme, la banane et moi, nous avions surmonté les mêmes épreuves, nous étions presque des camarades de promotion.

J'ai essuyé avec soin la pomme dans mon Kleenex et l'ai croquée entière, jusqu'au trognon, me contentant de recracher les pépins. Puis ce fut le tour de la banane qui, sous ses beaux atours, cachait un corps farineux. Qu'importe, après le sport, j'étais si affamé que j'ai dévoré le tout en quelques secondes.

En arrivant au siège, je me sentais encore débordant d'énergie, aussi ai-je monté à pied, quatre à quatre, les onze étages, avant de déboucher, par une porte coupe-feu aux lourds battants, dans le vestibule de notre service.

C'est alors que je l'ai vu. Il était en train de se diriger vers les ascenseurs, d'un pas pressé. Il était vêtu d'une combinaison de motard, rembourrée au niveau des épaules et du dos, dont les armatures le faisaient ressembler à un crocodile en caoutchouc noir. Sur la tête, il portait un casque sans visière, qui laissait entrevoir son visage. Il avait le type arabe, maghrébin. Sans que rien ne permette de l'assurer, j'ai cru reconnaître un Algérien, car il n'avait pas le teint de cuivre ni la rondeur des Marocains, mais au contraire la peau très blanche et le profil effilé. Devant sa bouche se promenait un petit micro portatif de la taille d'une cerise – détail qui, avec l'équipement moto, ne laissait aucun doute sur sa profession, c'était un coursier. Son œil brillait comme une lame. J'ai repéré la coque chromée d'un ordinateur portable qui dépassait de sa sacoche encore ouverte. Il était quatorze heures moins cinq minutes, l'immeuble était quasiment vide. Du point de vue de quelqu'un qui monte et descend à longueur de journée dans les locaux d'entreprise, c'était l'heure parfaite pour un larcin.

Ma présence a troublé le coursier et, curieusement, il s'est arrêté dans sa fuite. Il s'est figé, la main à moitié fourrée dans son sac, le coin du portable dépassant toujours, et a soutenu mon regard.

— Monsieur, qu'est-ce que vous faites là ? ai-je demandé.

Le ton de ma propre voix m'a fait un drôle d'effet. Vraiment, je ne me reconnaissais pas. Mon timbre était fêlé, sans autorité. D'ailleurs, je me sentais soudainement faible, flageolant. J'avais pris soin de bien me sécher après la douche, mais j'étais de nouveau en nage. Et j'étais ébloui. Je n'ai jamais aimé la lumière des néons, son halo blafard, l'espèce de nimbe d'irréalité qu'elle répand dans les *open space*, mais là, mes pupilles me faisaient mal, ainsi que mon front ; au bord du malaise, j'entendais en même temps le bruit constant de la climatisation – dont les machineries se trouvent à proximité des ascenseurs –, ainsi que la vibration aiguë d'un petit moteur de scooter accélérant au loin, dans la rue des Bouvets.

L'Arabe m'a dévisagé, pendant une phase d'immobilité qui a duré entre cinq et dix secondes. Puis il a haussé les épaules. Par là, il manifestait son mépris pour mon teint fiévreux, mes souliers de cuir craquelés, mon imperméable gris souris. Tout ce que je représentais lui était odieux ou ridicule. Il a pivoté sur ses talons et disparu dans l'ascenseur. J'aurais dû tenter de l'arrêter, soit en lui courant après, soit en téléphonant aussitôt à l'accueil pour demander au service de sécurité de l'intercepter. Et je n'ai rien fait. Je suis simplement allé m'asseoir à ma place, sonné, comme si on frappait des coups de cymbale au-dessus de ma tête. Mon cœur tapait dans ma poitrine. D'un instant à l'autre, j'avais perdu toute ma combativité. J'ai compris que j'avais trop tiré sur la corde, que j'avais détruit l'équilibre du jour.

Deuxième partie

I

Quand je suis retourné à ma place et me suis assis, ou plutôt laissé tomber sur ma chaise à roulettes, qui m'a accueilli avec un pouffement de compassion, une averse brutale s'est mise à cingler sur les vitres. Il est rare que la pluie fasse un bruit tel que je l'entende, d'où je suis placé, mais j'apprécie ces rappels occasionnels à la violence des éléments ; aussi suis-je resté quelques secondes le nez en l'air, à écouter le crépitement des gouttes. Si ça se trouvait, le portable volé était déjà en train de faire trempette.

Parmi les vingt-trois messages non lus de ma messagerie, j'ai tout de suite reconnu le nom de Sandra, sur lequel j'ai cliqué. À dire vrai, je l'avais oubliée ; du moins, je me souvenais à peine lui avoir envoyé un mail ce matin même, cet acte me paraissait remonter à une éternité. Dans sa réponse, Sandra ne commençait pas par mon prénom, ni même par *Salut*, mais attaquait bille en tête, sans majuscule :

je viens de recevoir ton petit poème, ta déclaration d'amour à la noix. Tu veux savoir ? Je te trouve minable. Où étais-tu – où avais-tu la tête pendant les trois années que nous avons passées ensemble ? Je n'ai jamais, je te le jure, croisé quelqu'un d'aussi insensible que toi. J'ai l'impression d'avoir vécu avec un bloc de glace, tu ne m'as jamais manifesté la moindre tendresse. Faire l'amour, oui, tu en avais envie et souvent (je n'ai jamais osé te le dire, mais tu baises très mal, tu es raide et quand tu jouis on dirait un grille-pain qui éjecte sa tartine, c'est pathétique). Jamais un mot doux, jamais une caresse désintéressée. Je ne sais pas si tu t'en es aperçu, mais je peux compter sur les doigts d'une main les compliments que tu m'as faits durant ces années (par comparaison, j'en recevais plus du concierge ou du boucher, c'est dire). En réalité, tu es resté un inconnu pour moi. Je n'ai jamais compris si tu n'éprouvais rien à mon égard ou si tu te mentais à toi-même en croyant sincèrement ressentir quelque chose. Dans tous les cas, l'amour est pour toi une langue étrangère. Je n'ai jamais vu de cœur si fermé que le tien.

Et maintenant, je reçois ton petit poème débile, qui parle d'une sonde sur la planète Mars. Le Martien, c'est toi dans l'affaire. S'il te plaît, arrête. Tu ne me fais pas plaisir en m'écrivant, tu grattes la plaie, tu me rappelles que j'ai perdu avec toi de précieuses années de jeunesse. Désormais, je me souhaite le meilleur et j'aimerais bien que tu te plantes, que tu souffres, tu en rabattrais un peu. Il y a des êtres qui ne peuvent devenir humains que s'ils en bavent. C'est triste, mais c'est ainsi. Parfois je te déteste mais, le plus souvent, je te plains.

Adieu, donc – en espérant que ce message sera bien le dernier entre nous.

Sandra

J'ai relu le mot deux fois, puis l'ai supprimé et, sans m'attarder, ai reporté mon attention sur un tableur dont je devais vérifier les comptes. Malheureusement, mes yeux glissaient le long des colonnes de chiffres, ils n'y adhéraient pas plus que des tongs sur du marbre mouillé.

Voilà que je retombais dans un état confus, un brouillard mental que j'avais peine à dissiper ; j'avais beau faire un effort de volonté, je ne parvenais pas à mettre de l'ordre dans mes idées. Je ne savais pas quoi penser du mail de Sandra ; par exemple, je n'aurais su dire s'il me blessait – parce qu'il avait été écrit avec une intention malveillante et qu'il attaquait mon amour-propre – ou s'il me soulageait – parce qu'il mettait les choses au point et nous aiderait donc, elle comme moi, à tourner la page. Non, je n'y voyais pas clair, pas plus que je ne comprenais les additions, pourtant bêtes, de la colonne comptable scintillant sur l'écran de mon ordinateur.

Quand je me vante d'exceller dans le *multitasking*, d'y trouver un moyen d'intensification du plaisir de travailler, je force un peu le trait ; ce n'est pas tout à fait ainsi que mon cerveau fonctionne. Parfois, n'est-ce pas, il arrive qu'on ait bu quelques verres

– mauvais tour que jouent souvent les cocktails – et qu'on souhaite remonter la pente, mais qu'on n'en soit pas capable, qu'on soit assigné à l'ébriété pour quelques heures, de gré ou de force. Eh bien, ce genre de sensation d'insupportable décalage s'empare régulièrement de moi alors même que je suis à jeun ; d'un moment à l'autre, mon intellect baisse de régime, mes pensées dérapent dans les virages, je n'ai plus de repères, c'est la mauvaise heure, entre chien et loup, me voilà condamné à être la proie de chausse-trappes logiques, d'illusions insidieuses.

Depuis le départ de Sandra, j'ai fait plusieurs expériences vraiment déconcertantes dans ce goût-là. Ainsi, quelques semaines après notre rupture, je fus victime d'un malentendu tragicomique dans un snack : j'avais demandé à la serveuse un hot dog, mais, quand elle m'a servi, je me suis mis à crier avec fureur

— Mais non, enfin, ce n'est pas ce que je vous ai demandé, je veux un hot dog !

et, tout en prononçant ces mots avec un aplomb délirant, je désignais du doigt les croque-monsieur, ce que la serveuse m'a gentiment fait remarquer. Sans même m'en rendre compte, j'avais interverti les termes, *croque-monsieur* et *hot dog*, erreur qui se prêtait à une interprétation psychanalytique tellement facile qu'elle en devenait ridicule – vous voyez, étais-je en train de hurler à cette jeune femme en tablier bordeaux, je ne suis pas un monsieur que l'on croque, je suis un chien chaud et je tiens à le clamer haut et fort !

Une autre fois, je devais rejoindre un ami à une fête, au seize, rue des Dames, dans le dix-septième arrondissement ; or, je suis passé et repassé une dizaine de fois sur la même portion de trottoir sans trouver le seize, car les chiffres accrochés au-dessus des portes cochères me déroutaient. Au bout d'un moment, j'ai téléphoné à mon copain,

— Dis-moi, c'est bizarre, je ne trouve pas le seize. On passe directement du quinze au dix-sept dans cette rue. T'es sûr que tu m'as donné la bonne adresse ?

Dans le combiné, j'entendais à plein volume le *trip-hop* de la fête où il se trouvait ; il a laissé un long silence dubitatif, avant de répondre :

— Dis-moi… tu te souviens qu'à Paris les numéros pairs et impairs ne sont pas sur le même trottoir ?

et à présent qu'il me le disait, cela me paraissait évident, bien sûr, où avais-je la tête ? Pendant le reste de la soirée, il m'a plus ou moins maintenu à distance ou ignoré ; il devait penser que j'étais sous l'effet d'une drogue sacrément dure, mais il se trompait, mes facultés intellectuelles avaient tout bêtement eu un raté. Ah, et puis, pas plus tard que la semaine dernière, mardi soir, vers vingt et une heures, j'ai reçu ce SMS : C'était amusant de se croiser aujourd'hui. En fait, j'ai enterré ma mère la semaine dernière et je suis un peu bousculé par toutes les formalités. Je t'embrasse. Le nom de l'émetteur n'étant pas enregistré dans mes contacts, j'ai eu beau me concentrer, y réfléchir durant de longues minutes, je ne me rappelais pas qui cela pouvait bien être. Était-ce une erreur de destinataire ou étais-je une fois de plus dans le cirage ? Une solution simple, pour lever le doute, aurait été de demander à la personne de s'identifier, voire de l'appeler directement, mais je n'osais le faire, étant donné les circonstances évoquées dans le message. Et puis, je craignais de passer pour un fou.

J'ai la quarantaine à peine entamée, et pourtant ces trous de mémoire, ces interpolations deviennent de plus en plus fréquents. Pour me rassurer, je me dis parfois que c'est une conséquence normale et bénigne du surmenage, que de tels troubles sont inévitables pour quelqu'un qui manie un très grand nombre de données au quotidien ; d'ailleurs, je suis convaincu qu'il existe un *seuil*, c'est-à-dire une quantité d'informations critique au-delà de laquelle la mécanique cérébrale a du mal à suivre, patine et flanche à coup sûr.

À propos de ces phases de désorientation que je traverse de plus en plus souvent et sur des durées de plus en plus longues, je me fais aussi une autre réflexion – dans le but de me rassurer, de ne pas affronter un diagnostic personnellement plus inquiétant, qui verrait dans ces phénomènes encore espacés les premières attaques d'un Alzheimer précoce, par exemple – : je me dis que le désordre n'est pas tant en moi que dans le monde extérieur, qu'il s'agit en somme d'une maladie de notre temps.

Comment comprendre une époque comme la nôtre ? On dirait que tout se mêle, que la planète en son ensemble ne sait plus où elle en est. Lors de la Deuxième Guerre mondiale, quelques centaines de millions de personnes étaient impliquées dans les combats ; mais aujourd'hui, il y a peut-être autant d'hommes qui font la guerre – en Afrique, en Syrie, en Afghanistan, au Pakistan… La grande peste noire a emporté vingt-cinq millions d'Européens au XIVe siècle ; ce n'est presque rien face aux quarante millions de malades du sida actuels. Les famines du XVIIe siècle, dues à une série de mauvaises récoltes, ont emporté six ou sept millions d'humains ; dérisoire, ils sont aujourd'hui presque neuf millions à mourir de faim chaque année. Durant les Trente Glorieuses, ces fameuses années de prospérité envolées dont on nous rebat les oreilles, il y avait deux millions d'ultrariches dans le monde ; aujourd'hui, ils sont onze millions et la classe moyenne globale est estimée à un milliard huit cent mille personnes, il n'y a donc jamais eu autant de confort. Au final, nous ne pouvons dire dans quel monde nous vivons. L'Histoire n'est nullement tombée dans le passé, elle s'est repliée sur elle-même comme du papier à musique, et le présent en contient toutes les strates : nous sommes à la fois les contemporains des pandémies et des famines du Moyen Âge, d'une guerre mondiale, de l'époque la plus faste du capitalisme et de la paix la plus durable que l'humanité ait jamais connue. Tout est là, aplati sous nos yeux, et nous sommes au milieu de la mêlée, incapables de décider quelle est la version correcte des événements. Qui ne se sentirait pas perdu ? Jusqu'à l'époque de ma naissance, l'Histoire a toujours été linéaire ; voilà qu'elle ressemble à un illisible gribouillage.

Je me souviens que j'ai exposé ces vues globales à Sandra, pendant un dîner. Et qu'elle m'a écouté. Non, soyons plus honnête : un soir, j'ai passé tout le repas, dans un petit restaurant italien, à jouer à l'homme intelligent et lucide en débitant ces données chiffrées à Sandra, qui se taisait, qui regardait sa pizza et me jetait parfois des coups d'œil dans lesquels vibraient des larmes, que j'entrevoyais mais dont je ne tenais pas compte ; elle était meurtrie que je ne m'intéresse pas à elle, que je ne lui demande pas, par exemple, de me faire le récit de sa journée. Ce qui l'aurait charmée ? Que j'émette, après quelques verres de chianti, des compliments sur son maquillage ou sa robe, que je lui propose de pousser la première porte cochère venue et de faire l'amour dans une cage d'escalier, ou, sans aller jusque-là, que j'envisage des projets avec elle, un enfant peut-être… Au lieu de quoi, je pérorais sur le destin du monde, j'adoptais une perspective planétaire, comme si je tenais moi-même les rênes de l'avenir entre mes mains. Et, fier de mon monologue, je prétendais l'enlacer sitôt rentrés à la maison et la faire jouir en cinq minutes.

Je macérais toujours dans l'hébétude quand une masse teigneuse et menaçante a surgi devant moi,

— Dis donc, Sommer, on peut savoir à quelle heure t'es revenu de ta pause déjeuner ?

C'était Raymond. Les rides de son visage, d'habitude molles, ressemblaient à des filins d'acier tendus. Il était furieux. Involontairement, j'ai remarqué que sa ceinture était sur le point de craquer, qu'elle retenait tant bien que mal sa belle grosse masse de graisse et de muscles, en forme d'enclume, et je me suis demandé, à part moi, pourquoi mon chef s'imposait un tel étranglement à la taille, et si cela ne lui faisait pas mal (ne connaissant à Raymond aucune espèce de coquetterie, je trouvais bizarre qu'il cherche à juguler ainsi sa bidoche, au prix, à n'en pas douter, de douleurs et de crampes postprandiales abominables).

— Vers deux heures, ai-je balbutié, désarçonné.

— Tu peux pas faire un effort et être un peu plus précis, toi qu'est réglé comme une horloge atomique ?

— Deux heures moins cinq, mettons.

— Ça veut dire qu'on s'est croisés. Je suis parti chercher un sandwich à ce moment-là. Quand je suis revenu…

— On t'a volé quelque chose ?

— Comment tu le sais ?

— Euh… j'en sais rien, c'est une hypothèse… Tu as l'air tellement en colère.

— Sommer, je te trouve bizarre sur ce coup-là, et t'as une tronche qui ne me revient pas.

— Tu ne m'accuses pas, quand même ?

Il m'a toisé avec le regard d'un homme habitué à soupçonner même son fils.

— Non, je ne pense pas que tu sois coupable, a-t-il lâché en faisant saillir sa lèvre inférieure. Ça non, je ne pourrais pas le croire. Mais on m'a tiré mon ordinateur portable, avec des mois, que dis-je, des années de travail dedans, et le type qui a fait le coup a nécessairement dû passer à trois mètres de toi.

— Je t'assure que je n'ai rien vu.

— Même pas un coursier ?

— Non.

— Tu mens ou tu déconnes. Un coursier est venu, il a posé un pli à treize heures cinquante, m'a dit la standardiste.

— Dans ce cas, on sait pour quelle compagnie il travaille.

— Oui, mais je ne peux pas accuser sans preuve… Vu qu'il n'y a pas de témoin.

Il a laissé passer un moment, avant d'ajouter :

— Sommer, je voudrais pas être désagréable, mais t'as une drôle de couleur. T'es vert. T'as ce qu'on appelle le teint pas franc.

Et il est reparti en coup de vent, toujours aussi mécontent.

Par expérience, je savais qu'en milieu professionnel, quelqu'un qui vous annonce que vous avez mauvaise mine ne cherche jamais à vous témoigner de l'intérêt, mais au contraire à vous marabouter – vieille technique qui consiste à prendre l'ascendant sur l'autre en lui parlant de ses faiblesses, sous couvert de sollicitude amicale.

Mais Raymond visait peut-être juste. Quand il a prononcé le mot *vert*, j'ai pris conscience qu'une grande langue de transpiration glaciale me léchait le dos. Ma chemise était trempée et, dans mon trouble, j'avais associé cette sensation à la pluie qui continuait à jouer du tambour contre les vitres, dehors.

II

Dans l'état où j'étais, c'est d'un thé ou d'un jus d'orange que j'aurais eu besoin. Mais je ne savais pas comment me procurer ces boissons dans la minute ; pour en avoir, il aurait fallu que j'entrepose mes propres jus de fruits ou sachets d'infusion dans la kitchenette de l'étage, ce que je m'étais toujours refusé à faire. Aussi, j'optai machinalement pour un expresso, bien que je sentais mon organisme se cabrer d'avance à l'idée d'ingurgiter encore de la caféine.

En me levant, je me suis aperçu que les sensations de picotement au niveau de ma main et de mon épaule gauches avaient empiré. Était-ce l'esprit fantôme de Sandra qui venait me démanger ? Au distributeur, j'ai choisi l'option court sucré, et, comme j'allais porter le gobelet en plastique à mes lèvres, j'ai perçu un ondoiement chaleureux de l'atmosphère derrière moi, agréable enveloppement dans une bouffée d'air tiède et parfumée qui précéda de peu l'apparition de Marie. Elle avait toujours sa robe de tissu fin tendue sur sa poitrine et portait – je n'y avais pas fait attention tout à l'heure – un collier de grosses perles en plastique ; ses seins ressemblaient à deux poupons joufflus jouant au hochet avec ces boules colorées,

— Salut toi, a-t-elle dit de manière plus langoureuse que d'habitude.

— Salut.

— Tu sais, il se passe un tas de choses en ce moment dans ma vie.

— Ah bon ? ai-je demandé, en reposant mon gobelet sur une imprimante, vaguement intéressé mais plus préoccupé encore par mon malaise grandissant.

— Oui, je suis partie en week-end avec un garçon charmant, et je crois même que nous allons bientôt nous fiancer.

Tout en prononçant ces mots, elle divisa par deux la distance qui séparait mes pectoraux de ses seins, la réduisant à dix centimètres.

— Euh… Félicitations, ai-je articulé d'une voix blanche.

— Tu me félicites, vraiment ? C'est tout ce que tu trouves à raconter ?

Ça, c'était ce que j'aimais chez Marie. Ce côté *cash* ; si elle avait été un tank, je pense qu'elle n'aurait jamais pris les rues, qu'elle aurait traversé les villages en ligne droite en défonçant maisons et haies sur son passage.

— Oui, si tu as trouvé quelqu'un de bien, j'imagine que c'est une bonne nouvelle.

Elle a tiré la moue.

— Tu veux dire que je suis une sorte de cause perdue, c'est ça ? Ou que tu t'associes à ma joie ? Non, non, désolée, je n'y crois pas... Tu t'en fiches complètement, de mes fiançailles. Et je t'avoue que j'ai du mal à comprendre, parce que j'ai le sentiment, comme ça, que je te plais.

— Tiens donc.

— Oh, pas la peine de prendre un air innocent ! T'as pas les yeux dans ta poche. Si tu crois que je ne les surprends pas, tes petits regards à la dérobée. Non seulement je te plais, mais il faut que tu saches une chose, au cas où...

Elle marqua un silence pendant lequel je déployai une énergie surhumaine à réprimer un haut-le-cœur, venu du fond de mes entrailles.

— Sache que c'est réciproque. Tout le monde te trouve insupportable, pédant, caractériel, mais moi tu me fais craquer. Je suis sûre qu'on s'entendrait super bien, tous les deux... Je dois être maso.

Pour occuper mes mains, je voulus reprendre mon gobelet de café, mais dans ma fébrilité je ne parvins qu'à le renverser ; le jus marron se déversa sur l'imprimante crème.

— Je suis désolé. On en reparlera plus tard.

N'y tenant plus, je faussai compagnie à Marie et me mis à marcher rapidement, que dis-je, à fuir vers les toilettes des hommes ; là, je m'engouffrai dans la première cabine disponible, fermai le verrou et tombai à genoux ; la puanteur montant de la cuvette, mélange d'eau de Javel citronnée et d'urine, exacerba mon dégoût et je fus pris de vomissements, comme cela ne m'était pas arrivé depuis des années. C'était une vague qui venait du plus loin – c'était acide et pénible comme si j'étais en train d'expulser mes propres organes internes. Après, je suis resté un long moment le visage penché au-dessus de la cuvette mouchetée comme un jardin d'automne. La minuterie des toilettes a fini par s'éteindre, personne ne l'a rallumée, bonne nouvelle, ainsi je suis demeuré seul dans le noir, haletant doucement dans la pénombre.

Le choc passé, j'essayais de repenser aux paroles de Marie. En un sens, elle m'avait comblé, j'avais toujours rêvé qu'elle me fasse une déclaration de ce genre. Et bien sûr, j'avais été en dessous de tout ; j'avais dû lui paraître aussi appétissant que des fanes de radis. Qu'importe, c'était mieux ainsi. Marie avait raison, elle me plaisait – mais c'était uniquement physique, elle m'attirait *sexuellement*. J'étais sensible à sa robe de tissu fin, à ses formes girondes, à sa bouche dont une belle couche de graisse rouge outrait le généreux volume. Mais qu'avais-je à lui proposer de mieux qu'un *coup* ? Je n'ai aucune des qualités requises pour me mettre en couple de façon sincère et constructive : si j'avais vécu avec Marie, j'aurais été incapable de la prendre au sérieux, je veux dire par là que ses pensées, ses petits sentiments ne me semblent pas mériter qu'on s'y intéresse vraiment, qu'on prenne le temps de déchiffrer leurs nuances, leur alchimie, leurs évolutions. Seules m'importeraient les humeurs d'un *être humain authentique*, mais Marie n'est pas de ceux-là, elle n'a pas une conscience suffisamment autonome. En un sens, elle n'est que le produit de notre époque, actionnée comme une marionnette, ventriloquée par ce monde qui me donne envie de gerber. Ce que j'ai été incapable d'offrir à Sandra, je serais encore plus infichu de le donner à Marie.

De plus, je rencontre certains problèmes avec les femmes de ma génération, et pas seulement d'ordre métaphysique. Sur un plan bien plus concret, je suis mécontent qu'elles se rasent le pubis. C'est un détail, mais chez moi il éteint presque le désir. Que cherchent-elles, au bout du compte ? À ressembler à des petites filles ? Voudraient-elles réveiller un désir immature, voire pédophile, chez leurs partenaires ? Tous ces sexes de femme rasés sont lugubres, ils ont l'air de blessures vermillon, ils ont des bâillements grisâtres comme la paupière d'un vieil éléphant – alors qu'ils pourraient avoir, mieux que l'éclat de la chevelure, la beauté indocile d'un renard entraperçu de nuit sur une départementale. Je ne comprends pas que les femmes renoncent à ce point à toute parure érotique et qu'elles réduisent le dévoilement de leur intimité au spectacle cru d'un sphincter. Je ne sais comment cette mode s'est répandue ; j'ignore, par exemple, si c'est l'habitude de se raser dans le milieu de la prostitution qui a contaminé l'industrie pornographique puis, par capillarité, les mœurs, mais à vrai dire je ne crois pas à cette explication par la propagande, *top down*, pour le dire dans le jargon de l'entreprise, non, je souscrirais davantage à l'hypothèse d'un mouvement inverse, ascendant, *bottom up*, je pense bel et bien que le phénomène s'est répandu dans la société avant de déteindre sur les représentations pornographiques. Si j'ai raison, alors cette tendance a quelque chose de réellement inquiétant, qui correspond à un triomphe de la pudeur. Bizarrement, mon impression est que les femmes, en rasant leur sexe, s'assurent de ne plus rien avoir d'indécent à montrer aux hommes ; elles n'ont plus à découvrir l'étendue et la texture, les teintes et les senteurs de leur toison ; se déshabiller, ce n'est plus pour elles ouvrir la porte d'un jardin secret, mais exhiber une planche d'anatomie ; ainsi, elles cachent leurs sexes en l'épilant. Cette simple idée, d'ailleurs, a suffi à me guérir du désir de Marie. Car je la savais trop imbue d'elle-même, trop pressée de respecter les modes et les aspirations de la masse pour laisser dépasser ne serait-ce qu'un poil follet sur son mont de Vénus. J'aurais même parié que c'était chez une esthéticienne de luxe, lors de séances au coût salé, qu'elle se faisait faire son épilation complète du maillot (mais je me trompais peut-être, car dans ce domaine, il m'est arrivé de trouver un galet là où j'attendais un violent bouquet, et vice-versa).

De ma main droite, la seule encore vaillante, j'ai déroulé un peu le papier toilette et détaché quelques carrés pour m'essuyer les lèvres et le menton. Puis j'ai tiré la chasse d'eau, deux fois de suite. Je me suis relevé, ai frotté mon pantalon au niveau des genoux, où le carrelage avait laissé des maculations blanchâtres.

S'il existe une main invisible autant que bienfaitrice, c'est bien celle qui remplace les aérosols de déodorant dans les toilettes, et dont je n'ai jamais pu savoir à qui elle appartenait (le charriot de la femme de ménage ne contient pas ce genre de produits). J'ai vaporisé copieusement la cabine, avant de sortir m'accouder au lavabo.

De même que certains aiment les fleurs ou les papillons, au point d'en apprendre la nomenclature et de les reconnaître au premier coup d'œil, je me flatte d'apprécier mieux que quiconque les *cernes* que les êtres humains portent sous leurs yeux. Par leur dessin, leur couleur, leur consistance, leur aspect fragile et changeant, ils m'ont toujours paru d'une beauté poignante ; je crois que je déteste les visages sans cernes autant que les jardins zen, tristement pierreux. Plus encore que les yeux – que la plupart de mes collègues et amis ont myopes, dissimulés derrière la pellicule gélatineuse de leurs lentilles ou les verres de leurs lunettes, et légèrement exorbités à force de scruter des écrans –, les cernes me paraissent receler des trésors d'expressivité. Les cernes de Sandra étaient d'ailleurs trop petits, deux lignes à peine marquées, partant de la base du nez et s'arrêtant très tôt, comme les plis proprets d'une peau d'enfant ou d'un drap bien bordé. Ceux de Raymond sont carrément des fouilles archéologiques à ciel ouvert ; comme sur une coupe de tronc d'arbre, on peut y compter les plissures pour évaluer son âge, et dans leurs méandres ont disparu les épaves glorieuses de ses deux divorces ainsi qu'une légion de bouteilles de Jack Daniel's. Raymond fait partie de ceux qui ont les cernes gonflés et non creusés – ce sont vraiment deux catégories bien distinctes dans la population, les premiers sont en général des émotifs et les seconds des cérébraux. Malgré son fond de teint, Marie, aujourd'hui, avait des cernes violacés qui ne laissaient aucun doute : c'étaient des marques éphémères, causées simplement par le plaisir, qui se dissiperaient rapidement avec un peu de sommeil. Mais voilà qui était plus alarmant : dans le miroir des toilettes, après m'être vidé, je me suis aperçu que Raymond était en dessous de la réalité en disant que j'avais une sale tronche. Mon teint était cireux, mais le pire c'étaient mes cernes, on aurait dit qu'un démon les avait repassés au charbon de bois. Ils agrandissaient mes orbites, au point de me donner l'apparence d'un crâne.

J'ai regardé mon visage ; plus encore que ce matin, j'avais l'impression d'avoir affaire à un autre. Qui étais-je ? Étais-je la voix intérieure qui me chantait que je ne pouvais pas ressembler à ça – et alors je n'avais pas de corps, j'étais désincarné ? Ou bien, étais-je ce masque épuisé et laminé, ce bloc de calcaire aussi gris et érodé qu'une gargouille, grimaçant tristement sous la clarté trop vive d'un tube néon ?

J'ai regardé ma montre, quinze heures onze ; j'avais plus de dix minutes de retard pour la réunion la plus importante de la journée, la présentation de notre rapport d'activité au comité de direction.

— En route, vieille carne, ai-je murmuré dans la translumineuse ténèbre des toilettes vides à ma propre attention, tu as bien assez de force en toi pour tenir le coup une fois de plus.

J'ai fait couler de l'eau froide sur mes mains, me suis aspergé la face énergiquement, puis me suis essuyé avec une serviette en papier recyclé grumeleuse. Ensuite, j'ai rajusté mon nœud de cravate ; la gorge me brûlait, râpée comme elle l'avait été par le passage du suc gastrique. Alors, une minuscule révolution sentimentale s'est accomplie en moi, que je décrirais ainsi : l'image de Sandra et celle de Marie se sont annulées réciproquement. C'était vraiment comme deux cartes – les reines de cœur et de trèfle – qui venaient de coller leurs faces l'une contre l'autre, pour retomber dans l'anonymat du quadrillage qui leur recouvrait le dos. Elles ne comptaient plus ; elles avaient été magiquement remplacées par des structures géométriques. J'ai inspiré profondément, à pleins poumons. Et j'ai poussé la porte battante des toilettes.

III

— Je vous prie d'excuser le retard,
ai-je murmuré de la voix la plus terne possible en entrebâillant la porte de la salle de réunion, avant de regagner furtivement ma place à gauche de Marie.

En tirant ma chaise avec délicatesse, afin que les accoudoirs ne heurtent pas la table, je me suis aperçu que Raymond me regardait d'un air de stupéfaction ; il n'avait jamais pris ma ponctualité en défaut, même pour les réunions les plus banales de notre service, or cette présentation de résultats avait une autre dimension. Sur l'estrade siégeaient trois membres du comité de direction – soixante ans de moyenne d'âge au bas mot, leurs cheveux acier, gélifiés, étaient plaqués sur leurs crânes constellés de taches de vieillesse –, qui m'évoquaient par leur attitude à la fois impitoyable et tranquille les juges des Enfers. Fait curieux, ils portaient tous le même modèle de lunettes, c'étaient six rectangles de plastique noir braqués vers nous comme des collimateurs.

Mais pour revenir à Raymond, son sourcil droit était très surélevé par rapport au gauche, qui traçait une voûte gothique au-dessus de son œil.

Je me suis contenté de baisser la tête. Je pouvais sentir sur moi le regard goguenard de Sébastien Alamano, qui se tenait juste en face, les tables de la *war room* étant disposées en U. Si l'un des juges avait balancé une phrase du genre,

— Un seul d'entre vous sortira vivant de cette salle. Vous avez quarante-cinq minutes pour vous départager,

je parie que nous nous serions entretués sans la moindre hésitation, une rixe sanglante aurait éclaté et nous aurions pu jouir de l'incroyable déferlement des haines accumulées en nous depuis des mois, des années. Malheureusement, je me sentais ramolli ; je n'aurais certainement pas survécu si nous nous étions lancés dans un combat de gladiateurs ; de plus, avec ce genre de pensées semi-délirantes, j'étais en train de m'enliser.

L'air – je manquais d'air. L'oxygène devait s'être raréfié dans la pièce, il avait été sifflé dans son intégralité par les narines étroites et avares des membres du comité de direction. Les vitres étaient hermétiquement scellées ; impossible de les ouvrir pour créer de l'aération. Et il régnait une chaleur perturbante. Ou était-ce moi qui bouillait, alors que la température n'avait pas augmenté ? J'aurais dû essayer de raccrocher les wagons, de saisir le fil de la discussion en reconstituant mentalement les étapes de la présentation que j'avais manquées ; ils parlaient de progression trimestrielle, de résultats consolidés, de chiffres d'affaires, dans un langage qui m'était théoriquement familier mais qui sonnait à mes oreilles comme un dialecte exotique ou une bouillie informe. Sur l'écran déroulé derrière les juges se succédaient des *slides* que je ne parvenais pas à suivre non plus (soit dit en passant, j'ai toujours détesté ces diapositives accompagnant les exposés, avec leurs argumentaires artificiellement découpés en *bullet points*, leurs camemberts et leurs graphiques sommaires, leurs images volées sur Internet à seule fin de meubler le vide ou d'amuser la galerie ; leur usage m'a toujours paru contre-performant, d'abord parce qu'elles distraient l'attention de la voix de l'orateur, ensuite parce qu'elles empêchent tout souffle dialectique dans le déploiement d'un raisonnement, toute ampleur et largeur de vue, en décomposant la pensée en une série de gros titres plus ou moins hiérarchisés, en une litanie de slogans).

Moins j'écoutais les échanges et plus l'instinct de survie me commandait de prendre un air correct, sérieux, professionnel ; c'est pourquoi j'avais ouvert, devant moi, une pochette dans laquelle se trouvaient des documents agrafés, et je manipulais mon critérium plaqué argent, à la mine extrafine, comme si je m'apprêtais à chaque instant à noter quelque chose. Mais je n'en faisais rien. D'ailleurs, mon regard était appelé vers les fenêtres ; la pluie avait cessé, le ciel était d'un bleu très sombre, dans lequel progressait la masse d'un énorme nuage noir, en forme de cargo. De temps à autre, je tentais d'attraper une phrase au vol – à présent, c'était Raymond qui tenait le crachoir –, en vain. Ces discussions ne formaient plus qu'une eau incolore dont l'écoulement me donnait le tournis.

En me tournant vers Marie, je me suis aperçu qu'elle me souriait. Alors, j'ai compris que, l'instinct féminin aidant, elle percevait parfaitement mon trouble et mon inattention, mais les interprétait de travers ; elle devait penser que cette déréliction était l'effet de notre conversation, que j'étais bouleversé d'avoir entrevu la possibilité d'une histoire d'amour avec elle.

Loin de la brume chaude et blanchâtre – africaine ? – qui emplissait la pièce, le nuage, au-dessus des toits, poursuivait son inexorable traversée. Vers quel port s'acheminait-il avec une telle lenteur ?

— Qu'en pensez-vous, Sommer ?

Cette fois, pas de doute, la question m'était adressée – et par le juge du milieu, qui plus est. J'ai relevé le menton et articulé :

— Comment ça ?

— Eh bien, je crois qu'après ce que nous a annoncé Raymond il serait bon d'entendre votre propre interprétation du fléchissement des ventes des Cubix. Comment expliquez-vous le phénomène, vous dont tout le monde vante, ici, les talents d'analyste ?

— Je ne sais pas, ai-je bredouillé. C'est peut-être un effet de la crise…

Cette fois, les deux sourcils de Raymond se sont carrément relevés ; il avait la tête d'un homme qui voit le cheval sur lequel il a misé son salaire terminer la course en dernier ; sa bouche s'est agrandie, ainsi que ses yeux, comme s'il fallait que la pression sorte par tous les orifices à la fois. Raymond connaissait parfaitement mes vues sur la crise, il savait que je la considérais comme un mythe, un pur artefact de la propagande, une lâche excuse à l'incompétence et à la fatigue de l'Occident. Comment pouvais-je me parjurer ainsi ? Quant à Sébastien, il a carrément lâché un bref ricanement.

— C'est vraiment votre opinion ? a lâché le juge.

— Euh, oui, c'est mon dernier mot.

— Je vous remercie, voilà qui est tout à fait éclairant, a-t-il ajouté avec un visage sérieux comme une porte de prison.

Il paraissait si grave, si hautain, que j'eus presque du mal à déceler la lueur d'ironie de sa remarque.

J'ai soupiré, sans discrétion, et me suis tassé sur moi-même comme une cornemuse qui se dégonfle. En un sens, j'avais eu ce que je voulais, ils ne m'interrogeraient plus. J'ai tenté un nouveau coup d'œil en direction de Marie, pour voir si je pourrais trouver de ce côté-là un peu de soutien ; mais non, cette fois, elle ne m'adresserait plus un signe de connivence, elle regardait droit devant elle et plus question, pour elle, de se commettre avec moi publiquement. Elle opposait, à mon regard presque implorant, son buste impérial.

Dans le cadre de la fenêtre, le nuage avait disparu, laissant derrière lui un sillage perlé.

Il ne me restait plus qu'à me faire oublier pendant la demi-heure que durerait encore la réunion, ce qui ne serait pas tellement difficile. J'avais été rétrogradé, en deux temps trois mouvements, du rôle d'acteur à celui d'observateur – au même titre que les juniors, Sébastien ou Vincent. Rien ne dépendait plus de moi. Cependant, il y avait quelque chose de bon dans cette relégation ; plutôt que de tendre mon attention, de tenter d'intervenir ou de plaire à mes supérieurs en pirouettant, en exécutant des acrobaties rhétoriques et des sauts stupéfiants d'audace au bout des perches de leurs phrases, je n'avais plus qu'à me laisser porter par le ronronnement de leurs voix bien rodées, si claires, tellement tout terrain ; ils en avaient vu d'autres, ils pouvaient passer sur mon incurie comme un Hummer sur une branche tombée d'un arbre.

Enfin, j'ai entendu la voix du juge du milieu qui annonçait la fin du supplice :

— Messieurs, et madame ou mademoiselle – dit-il en souriant très ostensiblement à Marie, seule femme présente –, je vous remercie pour cette synthèse. Nous apprécierons.

IV

Hélas, à peine suis-je sorti de la *war room* que je fus stoppé net dans mon élan par une douleur terrible au sternum, comme si j'avais reçu une pierre au milieu de la poitrine. Le choc était d'une telle violence qu'il bloqua ma respiration et me força à m'asseoir, ou plutôt à m'effondrer sur des chaises qui se trouvaient là, dans ce vestibule agrémenté de plantes vertes.

Décidément, j'étais un puceau de la douleur. Je n'avais jamais rien ressenti de comparable ; avec mes quelques chutes de vélo enfantines, mes mentons et mes genoux éraflés, mes piqûres de frelon mémorables, et même cette fois-là où je m'étais cassé ou plutôt pilé l'os du poignet en tombant d'un skateboard, je n'avais appris que quelques onomatopées et mots sommaires, le b.a.-ba, vraiment, du grand langage de la souffrance physique, qui à présent se découvrait à moi dans toute sa puissance. Oui, j'avais été protégé, j'avais vécu dans l'ignorance ; la *grande douleur* était en train de poser son pied sur ma cage thoracique, de me terrasser, et je sentais bien qu'il était inutile de vouloir lui résister, aussi absurde que d'essayer de contrôler le mouvement d'une barque dans la tempête, l'unique attitude encore possible étant de me soumettre entièrement, de me laisser couler en elle, en espérant que ce tumulte ne me fracasserait pas, mais finirait par me rejeter ailleurs, et que je me retrouverais, d'ici quelques minutes ou quelques heures, miraculeusement épargné, sain et sauf, sur un rivage.

Cependant, mes contorsions et mes grimaces muettes devaient être alarmantes, car j'ai reconnu la voix de Raymond,

— Il faut appeler les secours,

suivie de celle de Marie,

— C'est quoi le numéro du Samu, déjà, le quinze ?

— Préviens les pompiers, a ordonné Raymond, pragmatique. C'est eux les plus rapides. Fais le dix-huit.

J'ai vu Marie courir vers le balcon, où la communication passait mieux, portable au poing.

— Tu veux quelque chose, un verre d'eau ? m'a demandé Vincent, en brave garçon qu'il était.

Mais l'eau ne me paraissait d'aucune utilité, et je n'avais pas envie d'ouvrir les lèvres. J'aurais préféré qu'on me laisse tranquille, qu'on tire les rideaux (il n'y en avait pas).

En même temps, une petite partie de mon être était au sec, qui n'était pas concernée par le déferlement de la douleur – et cet îlot de conscience, dont la persistance m'étonnait, était étrangement calme. Je savais ce qui était en train de m'arriver, sans être effrayé. J'inspirais et expirais à peine, avec des intermittences et des suspens, et je les entendais qui causaient de moi, voix suspendues dans l'espace,

— C'est le surmenage,

— Ce type en fait trop,

— Il ne sait pas s'arrêter,

— Il est super mal quand même,

— Regardez comme il est pâle,

— Je l'ai trouvé bizarre à la réunion,

— D'habitude, il est plus aigu,

— Et moi qui croyais que c'était une machine,

— Vos gueules, vous voyez pas qu'il est super mal ? s'est écriée Marie pour faire le ménage dans toute cette saleté de commentaires.

Enfin, l'équipe des pompiers est arrivée.

— Monsieur, monsieur, pouvez-vous ouvrir les yeux ?

J'ai relevé les paupières et les ai regardés : leurs uniformes bleu marine et leurs bottes robustes juraient avec la fragilité du décor ; ils étaient d'une matière plus brute que les dalles de moquette rase, les cloisons plastifiées et le faux plafond en polystyrène. Cela me plaisait de me retrouver encerclé par ces corps dynamiques, dont la présence avait quelque chose de formidablement réel.

L'un d'eux avait une bouteille d'oxygène, blanche ; ils m'ont posé un masque sur la bouche, retenu par un élastique qu'ils m'ont glissé derrière la tête, et ont dévissé l'ouverture ; les premières bouffées m'ont paru sucrées. Ensuite, ils m'ont soulevé pour m'étendre sur une couverture, à terre. L'un d'eux a relevé ma manche

— Nous allons prendre votre tension.

Il m'a passé le manchon caoutchouteux autour du bras, a actionné la pompe.

— Alors, qu'est-ce que ça dit ? a demandé celui qui semblait diriger les opérations.

— C'est pas folichon, a répondu l'autre. Il a un petit huit-six.

Ne me souvenant plus des ordres de grandeur, je ne savais pas ce que cela signifiait ; de toute façon, j'ai toujours eu la tension plutôt basse, un cœur de grand sportif, disaient les médecins pour me flatter.

— Monsieur, restez tranquille, reposez-vous, détendez-vous autant que possible, une équipe médicalisée va arriver dans quelques minutes.

J'aimais cette orchestration parfaite, qui de surcroît n'avait pas été planifiée par mes soins.

À partir de ce moment-là, les pompiers se sont éloignés de moi comme si j'étais un objet de crainte, un tabou, et ont commencé à guetter les ascenseurs. C'est alors qu'un visage en larmes est apparu au-dessus de moi. Marie. Elle n'avait pas une tête à exprimer la pitié ou le malheur, ai-je pensé. Cela faisait une différence de taille avec Sandra : avec son profil d'Espagnole effilé, ses yeux de nuit, son nez courbé et tranchant comme un kriss, Sandra pouvait décliner toutes les nuances de la tragédie, de la mélancolie à l'affliction en passant par la panique et la rage ; j'aimais d'ailleurs cela chez elle, cette solennité de la beauté qui convenait si bien aux intempérances de l'âme. Par comparaison, même baignée de larmes, Marie avait encore cette bouche joviale, ces joues éclatantes de santé, cette carnation de jambon cuit et ces grands yeux de limousine qui ne se prêtaient qu'à l'expression d'émotions positives, comme l'étonnement, la gourmandise ou le rire. Pour être plus précis, les larmes sur le visage de Marie paraissaient composées d'eau, comme si elle était allée se mouiller la goule au robinet ; au contraire, chez Sandra, elles représentaient une sécrétion intime et sacrée et on s'attendait, si on les avait goûtées, à les découvrir plus piquantes que le sel.

Et pourtant, Marie chialait pour de bon,

— Fais pas le con, Sommer, disait-elle entre des sanglots. Fais pas le con, hein, promets-moi de tenir le coup, et elle tournait la tête de droite et de gauche, comme pour nier la situation. Tiens bon, on est là, on va s'occuper de toi. T'as toujours été hyper fort, hyper courageux, je suis sûre que tout va bien se passer, tu vas voir.

Elle m'attendrissait. Je sentais le calme progresser en moi malgré le poids qui compressait mes poumons ; j'étais déjà loin, je reposais sur une petite crique au bord de l'océan, ou au milieu des dunes du désert, et elle, que me chantait-elle ? Elle continuait à user le vocabulaire cassé, rouillé, de l'effort et de la performance. *Tenir bon, être courageux* : elle me faisait doucement rigoler ! Nous n'étions pas aux Jeux olympiques, il n'était pas question de battre un record. Il y avait seulement le tic-tac grippé d'une pendule, quelque part en moi, et je ne pouvais rien y faire, sinon tendre l'oreille. J'étais sur la crête ultime de la douleur, au bord d'un savoir fondamental, et elle me croyait encore à mon poste. Elle était naïve, mais je n'avais pas l'énergie de la détromper. J'aurais aimé, c'est affreux à dire, que Sandra soit là.

V

Et puis, je me suis mis à penser au temps. Depuis l'adolescence, on m'a rebattu les oreilles d'une théorie hédoniste dont j'ai toujours méprisé la grotesque insolence, et pas plus tard que la semaine d'avant, mon ostéopathe, que j'étais allé consulter pour un mal de dos retors, me l'avait resservie,

— On n'est pas fait pour travailler tout le temps ! Il faut aussi savoir profiter de la vie,

m'a-t-il dit, reprenant à son compte ce fameux *carpe diem* que les types du fond de la classe susurraient déjà, au lycée, entre leurs lèvres molles et gonflées. Jouir du moment présent, se la couler douce, chercher la tranquillité, ceux qui prêchent ces principes se prennent toujours plus ou moins pour des sages, ce qui a le don de me faire voir rouge – mais qu'ils laissent donc les heures précieuses de leur existence partir vers le tout-à-l'égout, qu'ils pataugent dans les ruisseaux de boue de leurs loisirs médiocres tant qu'ils veulent !

Moi, j'ai toujours considéré le temps non comme une rivière au bord de laquelle on devrait s'installer, pour le plaisir désintéressé d'en contempler le cours, mais au contraire comme une matière rare – plus précieuse que le diamant le plus pur – qu'il ne faut, sous aucun prétexte, gâcher, qu'il convient de ménager et d'ouvrager avec un soin méticuleux ; pour moi, les heures sont l'unité de mesure de la vie et ceux qui n'en font rien, qui laissent filer les soirées, les week-ends, les vacances, voire les jours de semaine dans une aboulie douceâtre, se condamnent à mener des existences miniatures, des destins bonsaïs.

Et cela – ce sens du devoir, si on veut – ne m'est pas venu avec la quarantaine ! Si loin qu'il m'en souvienne, j'ai toujours vu les choses ainsi. C'est pourquoi, au cours de mon existence, je n'ai fait que travailler, ou presque. À présent que le diagnostic vital était en jeu, pour employer une expression d'expert, je voyais clairement le fanatisme de ma sévérité ; depuis combien d'années ne m'étais-je pas arrêté, ne serait-ce qu'une minute, pour m'émouvoir de l'éclosion des premières fleurs du printemps ou du camaïeu fragile d'un coucher de soleil ? Même envers les diversions les plus anodines, je m'étais montré implacable ; depuis quand n'avais-je pas bu un verre de vin ou un thé sans penser à rien de spécial, sans livre ni magazine ouvert, sans ordinateur allumé sous les yeux ? Je n'avais fait que me concentrer, m'appliquer, produire, je m'étais exercé sans trêve et, ironiquement, le temps – cette matière que je croyais modeler – s'était écoulé quand même au-delà de moi, sans que j'aie prise sur lui. La douleur au creux de ma poitrine me rappelait cruellement cette évidence, de l'indifférence du temps à nos efforts et manigances ; il y avait de quoi enrager. La sagesse des glandeurs et des moins-que-rien, après tout, valait bien la mienne – le temps n'est-il pas le dénominateur commun, le grand égalisateur, le Suprême Coiffeur qui finira par nous couper à tous les cheveux *rasibus* ? J'avais cru être lucide, volontaire, et j'avais été aveugle, esclave d'ambitions empruntées ; quelque évaluation positive qu'on puisse faire de ma carrière, la réalité était que j'avais mené une vie d'employé ; l'entreprise avait accaparé mon temps et elle ne m'avait octroyé, en échange, que des virements réguliers sur mon compte courant et une conscience du devoir accompli qui m'avait, à la longue, desséché.

Car au bout du compte, qu'avais-je accompli ? Pour la première fois, je sentais vraiment que je ne laisserais rien derrière moi, que toute la somme de mon activité, de mes tactiques, des solutions parfois ingénieuses que j'avais apportées aux problématiques de la *supply chain* s'était si bien fondue dans le processus qu'il était impossible de reconnaître, en lui, ce qui venait de moi. Qu'un menuisier ou un maçon décède, leurs proches peuvent encore manger sur la table ou admirer la solidité des murs nés de leurs mains, mais moi ? Certes, je n'avais pas d'enfant, et mon absence ne prendrait pas un tour dramatique, à l'échelle de la démographie planétaire elle ne pèserait pas plus que le trou formé par un caillou tombant dans une rivière, mais il y avait quelque chose d'injuste, quand même, à penser que tout ce que j'avais fait était liquide, désespérément liquide. J'ignore pourquoi, j'avais espéré – par ingénuité, par crédulité – avoir encore beaucoup d'années devant moi et qu'un jour, à force de manipuler avec adresse des flux, il en surgirait quelque chose de solide, pas un objet qu'on peut toucher, d'accord, mais peut-être un concept ou un mode d'organisation appelé à faire date dans l'univers du management et du business. Hélas, le courant avait été trop fort et je m'étais laissé emporter. Jamais un nageur, si aguerri soit-il, ne revient d'une heure de crawl dans l'océan en tenant dans sa main un poisson, n'est-ce pas ?

Un rite répandu en Afrique subsaharienne, du Congo au Sénégal, m'est alors revenu en mémoire : quand un homme ou une femme meurt dans la force de l'âge, là-bas, le décès n'est jamais interprété comme un événement naturel, on lui prête forcément des causes magiques, paranormales ; cette mort peut être la punition de quelque faute cachée, ou bien le fait d'un fétiche courroucé, d'un sorcier mangeur d'âmes ; c'est pourquoi, dans les heures qui suivent le trépas, les proches se pressent autour du cadavre et l'interrogent,

— Dis-nous, dis-nous qui t'a tué ! Qui est ton assassin ?

scande-t-on avec insistance. Parfois, ce rite de l'*interrogation du mort* prend un tour plus théâtral, le cadavre est transporté en civière jusqu'au centre du village et, tandis que les porteurs suent à grosses gouttes pour le maintenir en élévation au-dessus de la foule attroupée, sa sœur ou sa mère répète,

— Qui t'a tué ? Maintenant, tu peux nous le dire, qui t'a mangé ?

Ignorant l'existence des microbes, cancers et autres maladies cardiovasculaires, les Africains ont tendance à considérer la mort comme le résultat d'un dérangement de l'ordre spirituel du monde ; ce qui n'est pas complètement absurde, tout compte fait. Moi, dans l'état où je me trouvais maintenant, si l'on m'avait demandé,

— Qui t'a tué ? Dis-nous, dis-nous le nom de ton meurtrier !

j'aurais répondu, sans doute,

— Le travail.

C'est alors que l'équipe médicale est arrivée. Elle comptait une femme blonde portant une blouse blanche, avec un visage qu'abandonnait à regret l'acné juvénile ; un grand gaillard à la mâchoire carrée, le genre de type très brun qui paraît avoir une barbe de trois jours même lorsqu'il vient de se raser, transbahutant un gros engin, garni de cadrans, que je ne connaissais pas et qui ressemblait à un antique poste de TSF ; enfin, un quinquagénaire n'ayant plus qu'une mince couronne de cheveux et dont le sommet du crâne, dénudé, était de forme pointue, ce qui, ajouté à son teint parme, lui conférait l'apparence d'un fœtus. Les pompiers se sont immédiatement effacés pour laisser le champ libre à ce nouveau trio.

La blondinette, dont la lèvre tremblait, dont les yeux gris pâle exprimaient une sorte d'effroi que ne laissaient absolument pas transparaître ses collègues – nettement plus blasés –, a froncé les sourcils et, avec un sens pratique dont je ne l'aurais pas crue capable, m'a inspecté, c'est-à-dire qu'elle m'a relevé la tension aux deux bras, m'a enfilé un petit appareil au bout de l'index droit et m'a fait un prélèvement de sang, en piquant mon médium gauche ; le doyen la regardait faire en opinant du chef. Cela me fâchait un peu, car je devinais qu'elle n'était encore qu'une simple interne faisant ses preuves et qu'il devait être le seul marabout expérimenté de la bande ; avaient-ils vraiment besoin, alors que j'avais un éléphant assis sur la poitrine, d'effectuer un exercice pédagogique ?

Mais une autre réflexion, plus sombre, m'a traversé l'esprit : C'est tout de même moche de mourir dans un *open space*, me suis-je dit, car en vérité, je me serais attendu à une fin plus romanesque, je ne sais pourquoi, j'ai toujours été convaincu que je mourrais d'une chute, et si je pensais : Ma mort, voilà comment, jusque-là, je me représentais la chose : on m'annonçait, à soixante ans passés, un cancer de la moelle épinière ou du pancréas ; devant le docteur m'apprenant que je n'en avais plus que pour six mois, je ne paniquais pas, ne multipliais pas les questions inquiètes, mais feignais le plus grand calme, afin qu'il ne me garde pas en observation ni ne me prescrive aucun sédatif ; sorti de la consultation, je prenais illico un billet pour monter au premier étage de la tour Eiffel par les escaliers (d'où j'avais repéré quelques départs de saut possibles, malgré les filets), ou bien, si j'en avais encore l'énergie, je me rendais en voiture jusqu'aux gorges du Verdon ; dans tous les cas, je ne laissais pas le dernier mot à la maladie et me jetais dans le vide avant qu'elle n'achève son processus de destruction. C'est stupide, non ? Chacun porte en lui une vision du terme qui lui est échu, sans la moindre ombre de réalisme ; quant à moi, c'était ce genre de suicide romanesque, de *chute libre* suffisamment bien exécutée pour me laisser quelques secondes de pensée pure entre la vie et la mort puis me disloquer en un clin d'œil à l'atterrissage, dans un lieu monumental, sublime, qui me trottait en tête depuis l'époque de mon adolescence, et voilà que j'étais en train de me tortiller comme un ver sur la moquette d'un immeuble de bureaux de Nanterre, sous la clarté des néons et l'œil de mes collègues, objet involontaire de leur pitié torve.

C'est alors que les médecins ont commencé à me faire des choses plus sérieuses encore, je veux dire par là qu'ils m'ont ouvert la chemise, enlevé mes chaussures et mes chaussettes, et posé des pastilles adhésives, deux au niveau du cœur, deux au niveau des mains, deux au niveau des pieds ; elles étaient toutes reliées à l'espèce de gros appareil que le costaud inrasable avait apporté et autour duquel ils s'affairaient cérémonieusement. Le doyen est venu s'accroupir à côté de moi (si l'écriture des médecins est légendaire, leur intonation n'est pas moins reconnaissable ; il avait vraiment la voix de sa profession, on aurait pu deviner qu'il était médecin simplement en l'entendant commander une baguette à la boulangerie) :

— Monsieur, pouvez-vous me dire où vous avez mal ?

J'ai fermé le poing de ma main droite et l'ai rapproché de mon sternum.

— Très bien, essayez de vous détendre. Je dois vous poser quelques questions à présent. Est-ce que cette douleur irradie ?

J'ai acquiescé.

— Où ça ?

J'ai montré mon cou, le bas de ma mâchoire, mon épaule gauche, toujours à l'aide de mon poing serré.

— Pouvez-vous me dire, sur une échelle de zéro à dix, où zéro est l'état normal et dix la douleur la plus forte que vous êtes capable d'imaginer, où vous vous situez à présent ?

J'ai inspiré profondément, et ma voix, bien qu'à demi éteinte, m'a fait plaisir à entendre. Elle n'était pas chevrotante ni lâche, c'était la voix d'un être vivant, bien qu'épuisé :

— Huit. Neuf, peut-être.

— Bien. Avez-vous fait un effort violent aujourd'hui ?

— Du sport. À l'heure du déjeuner.
— Est-ce que vous fumez ?
— Presque plus.
— Vous avez des antécédents ?
— J'ai vomi tout à l'heure.

Il a passé la main sur son crâne, comme s'il importait, en cet instant précis, de le faire reluire, de l'astiquer.

— Ce n'est pas nécessairement lié. Je reformule ma question : est-ce que vous avez déjà éprouvé une douleur similaire ?

J'ai secoué négativement la tête.

— Y a-t-il des problèmes cardiaques dans votre famille ? Du côté de vos parents ?

J'ai encore dit non de la tête.

— Est-ce que vous avez du cholestérol ?

Non.

— Est-ce que vous avez du diabète ?

Non.

— Est-ce que vous prenez des médicaments ?

Non.

Il a chaussé son stéthoscope pour écouter mon cœur, en appliquant le cercle de métal froid sur ma poitrine, puis dans mon dos ; cela faisait des années, depuis les visites médicales de l'école en fait, qu'on ne m'avait pas fait subir ce genre d'examen et cela m'a procuré une satisfaction insolite.

Le médecin s'est écarté et a rejoint les autres. Pendant ce répit, deux personnes sont venues près de moi – il y avait, dans le vestibule, une assemblée en demi-cercle dont j'avais vaguement conscience, dont je percevais le brouhaha anxieux, mais nul visage ne se détachait jusque-là – : c'étaient Marie et Raymond.

Marie m'a pris la main,

— Tu vas t'en sortir, a-t-elle affirmé en serrant.

J'ai été étonné de trouver sa paume et ses doigts glacés, mais j'ai pensé que c'était à cause de la peur. Oui, c'était ça, Marie était terrifiée.

De mon côté, je n'éprouvais rien pour elle. Sandra avait raison d'affirmer dans son mail que je ne sais rien de l'amour, qu'il s'agit pour moi d'une langue étrangère. Je n'ai jamais aimé aucune femme, ni qui que ce soit d'ailleurs – sans le vouloir, sans y mettre aucune intention particulière, j'ai systématiquement désobéi au commandement de l'Évangile, d'aimer son prochain comme soi-même. C'est parce qu'il n'y a pas un gramme d'amour en moi que j'ai été incapable de trouver la moindre saveur aux heures qui n'étaient pas consacrées au travail, je le comprenais à présent : les autres avaient plaisir à passer du temps en compagnie des êtres qu'ils aimaient, c'est pourquoi ils s'accordaient du répit, plantaient là leurs tâches aussi souvent que possible et se réjouissaient de sortir d'eux-mêmes, tandis que j'étais étranger à ce genre de mouvement vers le dehors ; pour que je trouve belles les fleurs du printemps, ou les feuilles rousses de l'automne, ou les variations de lumière sur l'Atlantique, pour que je prenne plaisir à boire un thé sans dire un mot ou un verre de vin sans penser à rien, il aurait fallu – et il y avait de quoi pleurer tant c'était simple, finalement – que je désire partager de tels moments avec un être aimé. C'est l'amour qui donne du poids, une épaisseur vivante aux instants, et lui seul possède un tel pouvoir : la présence de Marie me le rappelait, mais il était trop tard, mon caractère était fixé. En admettant que je m'en sorte, que je me tire de cette mauvaise passe et que, dans un futur proche, j'emmène Marie en week-end à Honfleur, qu'est-ce que cela aurait donné ? Je voyais ça d'ici : je me serais mortellement ennuyé avec elle, à part durant les minutes – combien, une trentaine, une cinquantaine, une centaine ? – où nous aurions baisé.

Raymond, c'était autre chose ; celui-là, avec sa face de vieux bouledogue malmené par son maître, de quel droit se penchait-il sur moi ? Je savais qu'il avait eu, il y a quelques années, un gros pépin de santé, mais enfin, est-ce que cela créait entre nous un rapport, une connivence ? Il avait une grosse respiration, comme s'il était très enrhumé ; on aurait dit que son tarin, qu'il brandissait au-dessus de moi, chuintait, et c'était pas un cadeau, de le voir vaporiser son apitoiement au-dessus de moi. Aussi ai-je rassemblé mes forces, serré très fort la main de Marie, pour que mes paroles ne la fassent pas fuir, relevé légèrement la tête et articulé aussi distinctement que j'en étais capable :

— Raymond ?

— Oui, mon petit, a-t-il eu l'audace de me dire de sa voix mouillée de toute la compassion qu'il s'imaginait éprouver pour moi, tandis qu'il n'en avait que pour lui-même.

— Sans toi, je n'aurai jamais compris ce que signifie le mot *connard*.

Vu la circonstance, il n'a pas mouфté ; il s'est éloigné avec le visage peint d'une sorte d'horreur sacrée, et Marie ne m'a pas quitté – je la retenais de toutes mes forces –, cependant j'ai vu qu'elle se mordait la lèvre inférieure, qu'elle chialait de plus belle. Tactiquement, c'était ce qu'elle avait de mieux à faire ; par la suite, le chef ne lui en voudrait pas d'être restée auprès de moi et mettrait ça sous le coup de l'émotion.

C'était bon, quand même.

Le vieux médecin est réapparu, tenant à la main une petite feuille imprimée.

— Monsieur, je vous informe que vous êtes en train de faire un infarctus du myocarde. Nous allons vous perfuser.

Sans attendre, le grand brun m'a enfilé une aiguille dans le bras, reliée à une pochette remplie de sérum ; je n'ai même pas senti la piqûre. J'ai supposé que les paroles du médecin devaient avoir une portée juridique, qu'elles étaient destinées à le protéger contre toute poursuite éventuelle – nul ne pourrait l'accuser d'avoir fait une erreur de diagnostic ni sous-estimé la gravité de mon état –, et pourtant, cela ne me faisait ni chaud ni froid, au fond je n'étais pas complètement hostile à l'idée de mourir. La mort m'apparaissait comme un repos d'une qualité plus douce que le sommeil, n'étant pas condamnée au réveil. Tous les efforts insensés que j'avais exigés de mon corps et de mon âme allaient enfin trouver leur juste récompense ; toutes les tensions seraient bientôt résolues, exaucées, et je me voyais reposant dans le fruit noir de mes nuits blanches, comme un bienheureux.

Dieu. Je n'ai jamais cru en Lui, ni en aucune entité transcendante, ni à rien de ce qu'enseigne la religion, et, en fait de croyance ou de rencontre avec la foi, ce que j'ai expérimenté de plus intense, ce furent de brefs moments de suspens, de rencontre avec le Mystère, qui ne survenaient jamais sur commande, mais qui jaillissaient toujours au détour d'une expérience presque banale : quand je levais les yeux vers le ciel nocturne, quand j'allais au cinéma voir un film saisissant, quand je marchais dans une forêt profonde, quand je regardais tomber la première neige de l'année ou que je prenais mon premier bain de mer au début de l'été, j'éprouvais ce sentiment à la fois effrayant et délicieux d'être environné de toutes parts par l'Incompréhensible ou, pour le dire autrement, j'appréhendais le caractère infini de la non-réponse de l'univers à mes questions, à mes angoisses, et alors, oui, je me disais que mourir devait être une expérience du même ordre, que cela revenait à tomber dans ce gouffre-là, dans une obscurité non pas agressive, mais large et accueillante au contraire, car elle formait l'étoffe même du monde, elle était la réponse à l'*énigme de l'univers et de la vie*. La solution résidait en une dissolution. Chaque fois que je faisais l'expérience d'un tel éblouissement, que je prenais ainsi contact avec l'absolu, je me promettais, avant de retourner à la ronde de mes activités quotidiennes, de ne pas oublier la leçon, de faire en sorte que la proximité de l'indicible supérieur continue de rayonner en moi et donne à ma vie ordinaire une profondeur dont elle était dépourvue ; dans la ferveur de mes illuminations passagères, je projetais de rester conscient de la proximité de l'infini alors même que je me replongeais dans le fini et, inévitablement, cette résolution aboutissait à un échec ; après quelques minutes de stupeur, où j'avais authentiquement saisi le monde dans une lumière métaphysique, après avoir reçu une piqûre de transcendance, ma cervelle se remplissait rapidement de pensées futiles, j'étais à nouveau rivé à des préoccupations partielles. Cela m'avait toujours meurtri, cette faiblesse, d'être capable d'entrevoir l'absolu mais de ne pas être en mesure d'agir en conséquence, d'en égarer la trace, de ne pas savoir en faire une force en moi. Peut-être les croyants avaient-ils cette capacité-là ? Pourtant, je le sentais : *il existe une réponse du monde, mais elle n'est formulée dans aucune langue, elle règne dans une présence qui nous ordonne l'absence,* autrement dit, nous ne pouvons pas habiter dans la vérité ni dans l'éternel, sauf à la condition d'être mort. Je ne croyais pas en Dieu, non, mais je n'étais pas sourd non plus à ce genre d'appel, de tentation, je n'étais pas qu'un automate fonctionnel ; je me hissais parfois jusqu'à ce niveau d'ouverture sur la totalité.

Quand j'étais enfant, je ne voulais pas devenir cosmonaute, cela me semblait une tâche trop spécifique, réservée à des as du pilotage, mais j'espérais malgré tout jouer un rôle dans la conquête de l'espace, car je pensais, que dis-je, j'avais la certitude – nous étions à la fin des années 1970 –, que je verrais de mes propres yeux d'immenses arches de Noé spatiales s'envoler vers des bases construites sur la Lune ou sur Mars, voire au-delà de notre système solaire, vers une nouvelle planète comptant – qui sait ? – deux soleils et trois lunes ; dans mes rêves, vu l'ambition de l'aventure, ces arches devaient emporter à leur bord des représentants de tous les corps de métiers, des cuisiniers et des électriciens, des comptables et des savants, des artisans et des agriculteurs, des professeurs, des enfants et même des animaux ; et je ne doutais nullement de pouvoir prendre part, d'une manière ou d'une autre, à ces événements qui ne manqueraient pas d'agiter les dix ou quinze premières années du XXIe siècle, je comptais même me porter volontaire dès les premiers lancements. J'espérais donc quitter ce monde, pour un autre qui n'avait rien d'un mirage religieux. En d'autres termes, je voulais devenir un étranger à cette Terre. Y suis-je parvenu ? Les arches ne sont pas parties, elles n'ont même pas été conçues par la

NASA, mais à ma manière, sans fusée et sans combinaison, j'ai réussi à me décrocher de la planète bleue, à me suspendre en un point abstrait de la voûte céleste ;

— Tu es toujours dans la lune,

me reprochaient ma mère et les maîtresses successives, à l'école, et il est exact que j'ai assisté souvent à de magnifiques couchers de Terre depuis le satellite de glace de mes ambitions. Mais à quoi bon avoir cultivé cette distance, maintenant que la pesanteur m'imposait sa loi et que je me retrouvais, comme jamais, cloué au sol ?

Les yeux fermés, j'ai senti qu'on me prenait par les épaules et les chevilles, qu'on m'étendait sur une sorte de brancard et que Marie me posait sur le front un baiser – que j'ai trouvé gluant et inapproprié, car elle appartenait à une étape déjà ancienne du périple. Tout tanguait, comme sur une barque.

Quand j'ai rouvert les paupières, nous étions devant les ascenseurs, à attendre. Cela m'a rappelé – comme on peut être bête, quand même – les résultats d'une étude sociologique lue pas plus tard que la veille dans un magazine, portant sur les comportements des Français : j'y avais appris que le bouton *rez-de-chaussée* a cessé d'être le plus utilisé dans les ascenseurs de notre pays, et que c'est celui qui sert à actionner la fermeture rapide des portes qui a désormais la vedette ; cela montre bien, concluait l'article, que nos rythmes de vie s'accélèrent et que nos compatriotes sont de plus en plus impatients, frénétiques. Sur le moment, cela m'avait fait sourire, car je m'étais reconnu, je fais partie de ces gens qui n'appuient pas seulement une fois, mais trois ou quatre d'affilée sur le bouton de fermeture rapide de l'ascenseur, comme si plusieurs pressions successives étaient plus efficaces, comme si une machine était sensible à ce qu'on lui répète les ordres (de même, ceux qui tirent deux, trois, quatre coups de feu pour abattre quelqu'un n'ont pas toujours prémédité cet acharnement ; selon moi, il s'agit parfois chez eux d'une bouffée magique, irrationnelle, ils veulent simplement être sûrs de l'avoir fait ou, pour le dire autrement, ils aspirent à rendre leur geste *réel*, mais sans intention particulière vis-à-vis de leur victime, sans méchanceté).

C'est alors qu'il s'est produit quelque chose d'étrange. Il paraît qu'il est donné à certains, juste avant de mourir, de voir leur vie entière défiler, ou plutôt, de pouvoir l'embrasser d'un seul regard comme un panorama ; quant à moi, à l'instant précis où nous nous engouffrions dans l'ascenseur, ce n'est pas ma vie, mais ma journée qui m'est apparue soudain dans sa totalité. Elle était là, offerte à mon regard, absolument complète, depuis la sonnerie du réveil que j'avais anticipée ce matin jusqu'à la réunion calamiteuse avec le comité de direction. Les plus infimes nuances, les aspérités ressortaient avec une netteté insoutenable, surhumaine, comme sur un blason très finement gravé, éclairé par une lumière rasante. Et je suis là, à contempler cette journée sans affolement ni rancœur ; de toute façon, je n'ai plus assez d'énergie en moi pour retourner dans le cadre ou tenter d'en modifier la composition. La douleur physique se confond maintenant avec la clairvoyance et je comprends que ce sont des jours comme celui-là qui m'ont mangé, qui ont dévoré le temps qui m'était imparti sur Terre, et qu'il est trop tard pour changer de destin.

Une conséquence immédiate du fait que l'homme est rendu étranger au produit de son travail, à son activité vitale, à son être générique, est celle-ci : l'homme est rendu étranger à l'homme.

KARL MARX, *Manuscrits de 1844*

Composition et mise en pages
Nord Compo à Villeneuve-d'Ascq

CET OUVRAGE
A ÉTÉ ACHEVÉ D'IMPRIMER
SUR ROTO-PAGE
PAR L'IMPRIMERIE FLOCH
À MAYENNE EN JANVIER 2015

N° d'édition : L.01ELJN000600.N001. N° d'impression : 87861
Dépôt légal : mars 2015
(Imprimé en France)